el **pelón** en sus **tiempos** de **cólera**

el **pelón** en sus **tiempos** de **cólera**

Héctor Suárez Gomís

Grijalbo

El pelón en sus tiempos de cólera

Primera edición: septiembre, 2009

D. R. © 2009 Héctor Suárez Gomís

D. R. © 2009, derechos de edición mundiales en lengua castellana:
   Random House Mondadori, S. A. de C. V.
   Av. Homero núm. 544, col. Chapultepec Morales,
   Delegación Miguel Hidalgo, 11570, México, D. F.

www.rhmx.com.mx

Comentarios sobre la edición y el contenido de este libro a:
literaria@rhmx.com.mx

ISBN 978-607-429-487-3

Impreso en México / *Printed in Mexico*

PRÓLOGO

Refrán popular: "No tiene dos dedos de frente". Dicho relacionado con la inteligencia del ser humano. Los pelones, ¡perdón!... los calvos, siempre tienen más de dos dedos de frente. Algunos incluso llegan a tener hasta 21, habiéndose dado el caso de calvos que tienen más de 40. Una evidencia más de su elevado coeficiente intelectual.

Ejemplo de lo anterior son Esquilo, Buda, Gandhi, Picasso y Julio César, entre otros.

Hombres notables que escondieron en su calvicie el germen de la inteligencia y la verdadera evolución humana.

Su calvicie los hizo ser quienes fueron, y éstos son sólo algunos ejemplos que podríamos enumerar, coléricos o no, bueno... excepto Buda, de quien se dice que jamás entró en cólera por aquello de la meditación, pero lo pelón no se lo quita nadie. Y no debemos olvidar esta otra máxima que sólo pertenece a los calvos: "Si la calva aparece, el órgano viril se fortalece", se tenga sólo un güevo o los dos.

Saber dosificar el humor con la realidad —difícil habilidad— es una de las constantes de Suárez Gomís, con un afán continuo de mejorar nuestra sociedad, denunciando con conocimiento de causa y valentía los errores propios y los de unos y otros. La anatomía del mundo que nos rodea entra en la sala de disección haciéndose también su autopsia personal. Circunstancialmente su libro se asoma a un mundo disfuncional, hostil y erizado por las espinas de las tensiones provocadas por la cloaca clerical, nuestra deleznable, inepta y corrupta clase política, la impunidad, la engañosa mugre deportiva, etc... que nos están llevando a la confrontación y al distanciamiento social. Pero siempre haciéndonos sonreír para que sean más llevaderos los rigores de la realidad. Vemos a un Suárez Gomís cuestionador y cuestionable. Un Suárez Gomís inconformista, desmantelador, denunciante, despiadado, indulgente y transgresor de todo aquello en lo que de algún modo nos vemos reflejados. Mostrándonos otras de sus caras descubrimos a un Suárez Gomís abiertamente tierno, a veces romántico, cáustico y corrosivo, porque esta realidad no le gusta.

Suárez Gomís es lo que popularmente se llama un humorista "agudo"; de forma demoledora encara cada tema frontalmente y sin temores, pero con buen estilo.

Suárez Gomís posee todo lo que debe tener en cantidad y en calidad. Estamos ante un positivo talento del humor moderno, precisamente porque conoce lo antiguo. Un humorismo que no nace para la risa, sino para la intranquilidad y la reflexión.

Ese derroche de talento sólo lo puede mantener un genio. "De casta le viene al galgo..."

Su papá
Héctor Suárez H.

AY ... HAY QUE SER
AGRADECIDO

¡No!... ¡No cambies de página!

¡Ya lo sé! Qué flojera saber a quién le estoy agradecido, ¿no?

Ésta es sin duda alguna la parte más aburrida de cualquier libro.

Si ya de por sí *nadien* lee un libro completo, pues mucho menos se van a tomar la molestia de leer esta sección... A menos que le dé el toque amarillista, sensacionalista, mentiroso y vulgar que usan todas las revistas de chismes en sus encabezados y que sólo leemos cuando vamos al baño... Bueno, eso dicen.

¡GRACIAS A FRANCO Y A LOS FASCISTAS!

De no haber sido por la mente enferma y distorsionada de un cretino fascista que provocó la Guerra Civil española y el éxodo de los republicanos, mis abuelos y mi mamá no se habrían embarcado junto con los demás españoles a refugiarse en México y mis papás jamás se habrían conocido... Gracias a mi abuelo Pepe y mi abuela Ana por haberse subido a ese barco con su hija en brazos y por haber dejado a regañadientes que su hija se casara con un actor.

¡GRACIAS A LA DOBLE MORAL DE LA SOCIEDAD CONSERVADORA DE MÉXICO, A LA IGLESIA CATÓLICA Y AL PECADO ORIGINAL!

En los sesenta "condón" era una mala palabra y oír música de Elvis y de los Beatles era cosa del diablo. Nadie hablaba de los anticonceptivos porque el sexo por placer es pecado... aunque ya desde entonces un porcentaje importante de los padres mexicanos de doble moral tenían su casa chica e iban a misa los domingos para que Dios los disculpara por esa moral tan distraída. Total, qué tanto son 10 Padres Nuestros y 10 Aves Marías para fingir arrepentimiento.

A pesar de ser México un país laico, la Iglesia católica siempre ha querido imponer su ley (misma que va contra la ley), y por ello quiero agradecer también a esta institución, porque de haber existido programas de planeación familiar en 1968 mis papás seguramente se hubieran cuidado mientras pecaban.

Gracias a mis papás por haber tenido encendida la llama de la pasión esa noche de marzo después de casi cuatro años de matrimonio. El 6 de diciembre de 1968 nací fruto del pecado original.

¿Pecado original?

Créeme que en el mundo en el que estamos viviendo hoy, se necesitan muchísimo ingenio y muchísima creatividad para cometer un pecado original.

¡GRACIAS A SATÁN, SATANÁS, EL DIABLO, BELCEBÚ, LUCIFER O COMO TE LLAMES!

En este mundo de dualidad en donde no puede existir la luz sin la oscuridad y viceversa, cómo iba yo a saber que prefiero estar del lado de la Luz, de Dios o del Uno, como prefiero llamarlo, si no supiera que existe el opuesto, lo oscuro, el mal... No porque me lo impongan sino porque yo así lo decidí, estoy en armonía con la Luz, o por lo menos lo intento.

Todos para el Uno y el Uno para todos. Gracias a esa Luz que me mantiene vivo y me da la fuerza de un guerrero que nunca por nada y por nadie se deja vencer.

¡GRACIAS A LAS DROGAS Y AL ROCK & ROLL!

Amor y paz. *Let it be*. Haz el amor y no la guerra. Ésta es la época en que mi amada tía Anamari Gomís vive su adolescencia y toma la decisión de ingresar a la Facultad de Filosofía y Letras. Yo no sé si influenciada por mi abuelo Pepe, quien fuera el primer escritor de la familia, por las drogas sicodélicas o porque tenía ganas de hacerle el amor al mundo por medio de sus letras, pero mi *Giga*, como yo le digo, se convirtió en la segunda escritora de la familia y me contagió el gusto por leer y escribir, y será siempre una gran influencia para mí.

16

Y MÁS GRACIAS....

Gracias a mi editora Wen. A los 12 años perdió una apuesta y muy a su pesar tuvo que llegar virgen a los 20... Afortunadamente se dio cuenta a tiempo de que hacer eso es malísimo y ya no apuesta. Lo que sigue siendo un misterio es si aún sigue siendo virgen. Y qué importa si lo es o no, para mí es una santa. Ahora se dedica en cuerpo y alma a escribir sin faltas de ortografía y a hablar en un español que ya nadie habla... Nunca le entiendo y siempre corro al diccionario para saber qué es lo que dice. Lo que sí entiendo, y en un español clarísimo, es que esto no sería una realidad si no fuera por ti...

Gracias a mi editor César por creer en mí, por tantas y tantas horas dedicadas a no estar conmigo y por confiarme su secreto de pintarse las uñas de los pies color de rosa.

¡Qué respiro saber que no soy el único!... Yo también tengo secretos.

Gracias a Miguel Ángel Pérez, mi profesor de lógica, ética y literatura, por enseñarme las fotos pornográficas de sus primas. Desde la primera vez que lo hizo supe que no tenía ética y mucho menos lógica lo que hacía, por eso sólo le puse atención a sus clases de literatura y finalmente terminé teniendo mucho sexo en mi adolescencia y reprobando literatura. Cualquier reclamación hágansela a sus primas...

Gracias a Claudia del Bosque por obligarme a sacar mi credencial para votar con fotografía y a publicar todo lo que escribo en un blog. Finalmente el blog me abrió las puertas de Random House.

Gracias, Woody Allen, por tus *Cuentos sin plumas* (que son mi biblia desde hace 20 años) y por vivir la vida sin importarte lo que piensen de ti... Y no, no lo digo por el hecho de haberte casado con tu hijastra. ¿Cómo crees? Eso no es nada comparado con verte tocar el clarinete con tu grupo de jazz. Por eso me da gusto que sigas escribiendo y dirigiendo una película al año. Mantente lo más alejado que puedas del clarinete.

Gracias, Gustavo Serna, por tu amistad de más de 35 años, por haberme regalado el libro de *Cuentos sin plumas* de Woody Allen y por dejarme jugar contigo al Chavo del 8. Tú eres el señor Barriga y yo don Ramón... Te debo 14 meses de renta. ¡Ups! Se me chispoteó...

Gracias a Yuriria Sierra, Martha Figueroa, Francisco Zea y Juan Soler por sus comentarios en la contraportada. De verdad sus palabras son mucho más de lo que yo imaginé recibir cuando les di a leer el libro. Habitan en mi corazón para siempre. (Ustedes y también sus palabras.)

Gracias a George Carlin, quien sin saberlo me enseñó a encontrar una voz propia y a no tener miedo de decir siempre lo que pienso sin importar lo que piensen los demás de mí.

Gracias a Bill Maher. Otro que, sin saberlo, también me enseñó que en la comedia ser políticamente incorrecto es políticamente correcto. Ser cínico e irreverente a la hora de decir la verdad te lo aprendí a ti.

Gracias a Jaime Morales y su Café 22. *El pelón en sus tiempos de cólera* ha dado sus primeros pasos en tu escenario y tú eres el culpable de que en la Condesa se esté haciendo la comedia más alternativa y diferente de todo el país... Creíste en mí y ya sólo por eso tienes mi lealtad por siempre... Lo "otro" lo voy a seguir pensando...

Gracias, Raúl Astor (mi abuelo postizo), por todo lo que me enseñaste sin darte cuenta. Siempre fuiste un adelantado a tu época y un vanguardista de la comedia. A los cinco

18

años Topo Gigio me invitó a comer con él y tú generaste toda esa magia. Te llevo siempre en mi corazón y en mi mente. Mis sábados son locos, locos porque tu espíritu provoca la cosquilla en mi alma. Si después de publicado este libro te dan ganas de visitarme y jalarme las patas serás muy bienvenido. ¡¡¡Nomás No Empujes!!!

Gracias a mi hermana Julieta por su amor, sus ojos, su voz, su mente, su risa, sus lágrimas; por haber crecido conmigo y sobre todo por haber nacido el 15 de septiembre... Tu cumpleaños es el pretexto perfecto para no ir a ninguna celebración del día de la Independencia. En 2010 no sé si celebrar el bicentenario o tus 39... ¡Qué dilema!

Gracias a mi sobrina Paula por existir. Tú fuiste mi primer contacto con mi instinto paternal y me ayudaste a reencontrar mi lado infantil. Desafortunadamente yo tenía 31 años cuando eso sucedió y ya no me dejaron entrar a los boy scouts.

No importa: he descubierto que para comportarse como imbécil no hace falta tener una brújula, ponerse pantalón cortito y una mascada amarilla en el cuello. También se pueden escribir libros.

Gracias, Sandra Quiroz, por ser mi equilibrio, mi compañera, mi guía... Esa mente tuya tan clara y sabia me inspira a ir por la vida con una sonrisa y con mucha seguridad. No me da pena revelarlo: tú eres mi musa. Te amo.

Gracias a mi mamá y a mi papá por la cantidad de material que me han dado para escribir...

Gracias, papi, por todo tu amor y todo tu apoyo siempre. A pesar de ser un icono en México, tú jamás has competido conmigo, al contrario: desde que soy niño me has hecho un campeón, tu campeón, y me has enseñado a ir pa'lante y a creer en mí. Eres el ser más tierno que conozco y aspiro algún día a tener en mi cuerpo la mitad de energía con la que vas por el mundo. Te amo.

Gracias, mami, por todo tu amor y todo tu apoyo siempre. Gracias por toda esa necesidad de querer saber la "otra verdad" y la "otra versión" de la vida y de su historia...

Los libros de ocultismo son culpables de que me haya interesado la lectura y ya después mi interés quiso decir cosas. Y como soy muy callado me di cuenta de que es a través de un personaje en un escenario y con una pluma como puedo expresarme. Te amo.

Lo actor lo llevo en el Suárez y lo escritor en el Gomís. Soy la tercera generación que se atreve a publicar un libro. A ver qué sucede.

Y ya, para terminar con los agradecimientos:

Muchas gracias a ti. Sí, a ti que me estás leyendo, ya que al tener *El pelón en sus tiempos de cólera* en tus manos estás contribuyendo a mejorar la economía de todos los sellos editoriales de Random House Mondadori. (No, no es una sucursal de comida china.)

Desde hace ya varios meses esta casa editorial está en números rojos por culpa de la crisis económica mundial, la compra de cubrebocas para protegerse del virus AH1N1 y la repavimentación del Circuito Interior.

Por todas estas razones les urge vender millones de libros y hacer colectas de todo tipo para poder pagar las regalías y los adelantos que cobran Paolo Coelho, Fernanda Familiar, Rius y Ken Follet... Pero ya verán que, Carlos Ahumada mediante, muy pronto regresarán los números negros.

¿A poco este imbécil es escritor?...

Es lo que estás pensando, ¿cierto? Acéptalo... Y no te culpo, yo pensaría lo mismo.

Es más, para que crezca tu morbo, quiero que sepas que no terminé la preparatoria y por ende (nomás me estoy luciendo con la palabrita, ya que pude haber escrito: "y por lo mismo") nunca pude estudiar una carrera profesional...

No, no soy escritor, sin embargo me gusta mucho escribir. Escribo a escondidas desde los 10 años. Empecé a hacerlo porque me enamoré perdidamente de una niña de ojos claros que vivía por mi casa, y como me daba pena decirle de frente lo que sentía, tomé la decisión de escribirle una carta de amor todos los días.

No, por supuesto que no voy a platicarte la historia de un romance infantil, ¡qué flojera! Para romances está Corín Tellado... O estaba, porque ya se murió... Y si no se hubiera muerto, de todos modos ¡qué flojera!

Durante todo un año le escribí con el corazón a la niña de ojos claros y nunca hubo una respuesta de su parte. Como todo tiene un límite, decidí ponerle punto final a la historia y tomé la mejor decisión que he tomado en la vida: escribirme y mandarme las cartas que me hubiera gustado recibir por parte de ella... Sí, a los 10 años ya se puede ser un imbécil... Y si a los 10 años se puede ser un imbécil, también se puede ser un escritor de clóset.

Hasta hace unos meses era de clóset, pero en Random House Mondadori (ya te había dicho que no es una sucursal de comida china, ¿verdad?) me insistieron en que saliera de él y asumiera las consecuencias como un adulto... Confieso que no ha sido fácil; ser escritor de clóset es como la disfunción eréctil... se vive en silencio. En cambio ser imbécil declarado es mucho más fácil y divertido. (¿No has visto qué feliz va por la vida Vicente Fox?)

No siempre fui un imbécil; de hecho, en mi época de espermatozoide era muy ágil con la cabeza y muy rápido para mover la cintura... por eso pude ganarle la carrera a mis demás hermanitos.

Recuerdo que en ese entonces éramos muy pobres y en la casa no alcanzaba para alimentar tantos millones de bocas. Estábamos todos flacos, flacos... Parecíamos lombrices cabezonas y pálidas.

Una noche, después de un evento muy agitado, a todos nos sacaron con violencia de la casa y fue gracias a mi rápido movimiento de cintura que pude salir adelante y llegar a la meta. Inmediatamente aprendí a dividirme en 2, luego en 4, 8, 16, 32, 64, 128, o en tantas partes como fuera necesario para poder llegar a ser una persona.

¿Te das cuenta?

En 1968 vencí el método anticonceptivo que tomaba mi mamá y le provoqué un embarazo no deseado a sus 15 años. Por esa razón tuve la fortuna de que mi educación fuera igual que la de los demás niños abandonados y maltratados: en la soledad absoluta.

A pesar de aferrarme a las faldas de mi nana, ingresé finalmente al kínder, de donde fui expulsado en varias ocasiones por orinarme en las compañeritas que jugaban en el arenero.

En la adolescencia, ya más maduro, lo hacía desde el quinto piso del hospital psiquiátrico al que fui a parar después de escuchar toda la discografía de Cri-Cri. (¿Qué se debe tener en la cabeza para componerle una canción al chorro de una fuente?... ¿O para no entenderla?)

El 6 de diciembre de 2008 cumplí 40 años. Todavía no siento esa crisis que acompaña el llegar a esta edad, pero lo que sí me preocupa es que cuando cumples 40 años se te invita de manera amable y urgente a visitar al proctólogo...

Toda la vida he tenido pánico de que el dentista me haga abrir la boca, ya te imaginarás lo cooperativo que voy a estar cuando quieran revisarme el... el... el... ¡Me niego!

En todos lados dicen que a los 40 años se empieza a vivir, ¿no? Pues vaya manera de empezar. Naces y te meten una nalgada, cumples 40 y quieren entrar a buscarla.

Ya te estoy platicando de mí y no era lo que yo quería.

Lo que en verdad quiero es que sepas que soy un güey con mucha suerte y que jamás me imaginé que alguien se pudiera interesar en publicarme un libro.

¿Qué vas a encontrar aquí?

Una gran parte de mi neurosis, de mis fijaciones, de mis obsesiones, de mis miedos y de mis defectos.

Me gusta burlarme de lo establecido. Me gusta mucho también burlarme de mi familia y de esa manera tan sui géneris con la que me educaron.

También me divierte burlarme de la política, la religión, el sexo, las perversiones, las disfunciones sexuales, las leyendas urbanas, las relaciones humanas, la educación, la escuela, el cine, los cuentos infantiles, la escatología, etc... Y como nunca he sido una persona que se tome a sí misma muy en serio, vas a descubrir uno que otro secreto de mi vida íntima.

El libro está dividido en seis partes; lo puedes leer de atrás para adelante, de adelante para atrás e incluso puedes brincarte capítulos y no pasa nada.

Si no he sabido darle continuidad y lógica a mi vida, ¿tú crees que se las iba a dar a este libro?

Empecé la introducción escribiendo lo primero que pasó por tu mente cuando viste este libro, ¿lo recuerdas?

"¿A poco este imbécil es escritor?"

No, este imbécil no es escritor... A menos que tú decidas lo contrario.

PRIMERA PARTE

DE NIÑOS

XIMENA, EL AMOR DE MI VIDA
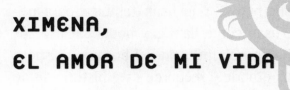

Me encanta que mi hija me haga preguntas. Me mira muy atentamente con una gran inocencia y en sus ojitos puedo ver que en realidad me admira. ¡Qué gran responsabilidad! Cree en mí y en todo lo que yo le diga...

Recuerdo cuando hace tres años fuimos al zoológico y ella con una gran pasión y curiosidad me preguntaba de qué estaban hechas las carriolas de los lobos. Era todo un reto responder a eso y no matar su ilusión. Esas preguntas echaban a volar mi imaginación y de verdad no sé de dónde sacaba las respuestas.

—Mmm... Mi amor, tú sabes que los lobos viven en el bosque, entonces juntan todas las ramas que encuentran; con sus largos dientes las cortan, con sus garras les van dando forma y con su saliva las van pegando.

—¿Saliva? ¡Guácala! ¿No usan lodo para pegarlas?

(Cómo no pensé en el lodo.)

—Sí, Ratón (le digo ratón desde el día en que la bañé por primera vez). La saliva mezclada con el lodo es un pegamento muy fuerte.

—¿Qué es eso?

—El pegamento es una especie de resistol que nada más pueden hacer animalitos como los lobos cuando hacen las carriolas para sus hijos... Y lo usan también para pegar las piedras que usan como llantas y poder sacar a sus hijitos a pasear en la carriola por todo el bosque... (Espero que cuando sea más grande y recuerde esta historia, le dé ternura y no compruebe que su papá sí es un imbécil.)

—Pa, a mí me dan miedo los lobos, pero me gusta cómo hacen: ¡¡¡Aaaaaauuuuuu!!!

"¿Y las mamás lobo les dan mamila a los lobitos? ¿Por qué ya no me dejan tomar mi leche en mamila? ¿Ellos también tienen vaso entrenador como yo?..."

Ésas eran nuestras pláticas hace tres años. Hablábamos de animales, de princesas (siempre hablamos de princesas, de todas las princesas), de caricaturas, y me hacía todo tipo de preguntas cuando veíamos en la televisión Animal Planet.

—Pa, ¿verdad que los cocodrilos se comen a la gente?

"Pa, ¿verdad que las mariposas primero son unos gusanos que se llaman orugas?

"Pa, ¿verdad que los tiburones se comen a la gente?

"Pa, ¿sabes quién también se come a la gente? ¡La ballena de Pinocho! Y los dinosaurios... A mí me dan mucho miedo los dinosaurios, qué bueno que no había ninguno en este zoológico, ¿verdad, papi?..."

La pregunta más complicada de responder llegó en abril de 2008, cuando íbamos en el coche rumbo al parque de Polanco. Muy seria y esperando una respuesta más madura que la de la carriola de los lobos, me mira muy profundamente y me dice:

—Pa, papi (muero cuando me dice "papi"), ¿qué es *normal*?

¿Cómo se responde a eso? ¿Cómo le puedo explicar qué es *normal* si yo no me lo sé explicar a mí mismo?

Pude haber respondido como todo un intelectual:

"Es la actividad mental por medio de la cual el conocimiento y la habilidad, los hábitos, las actitudes e ideales son adquiridos, retenidos y utilizados, originando progresiva adaptación y modificación de la conducta..."

—Mmm, ¿*normal*? Normal es algo que ves normal (qué pendejo soy, seguro me va a cambiar por otro). Normal es algo que cuando lo ves te parece común (mi hija se va a decepcionar de mí para toda su vida).

"Es un término que se le da a una persona que supuestamente no cuenta con ninguna discapacidad, sin embargo cada uno de nosotros cuenta con alguna deficiencia aunque no sea tomada como discapacidad."

Claro, y yo no tengo la capacidad de responderle qué es *normal* a una niña de cinco años y medio. ¡Soy un discapacitado!

"Lo que se halla en su estado natural. Que sirve de norma o regla. Regular, ordinario."

Eso es lo que soy: un ordinario. A ver, ¿por qué no le sales con lo de la saliva y el lodo para crear un pegamento tipo resistol?

Después de varios intentos me miró y muy desesperada dijo:

—A ver, papá (pero yo clarito escuché: "a ver, pendejo"): hay Coca Light, acaba de salir una Zero. ¿¿¿Qué es normal??? ¿Por qué hay Coca normal?

¡Eureka! (justo íbamos pasando por Arquímedes).

¡Ésa sí me la sé! Una no tiene azúcar, la otra no tiene calorías, y la otra sí tiene azúcar y calorías... ¿Ves? Tu papá es un genio y sabe muchísimo de agua carbonatada.

El amor es tanto y tan fuerte que a veces duele.

El 19 de noviembre de 2002 cambiaste mi vida.

Era luna llena y además hubo lluvia de estrellas.

Cuando te tuve en mis manos por primera vez, mi capacidad de amar se disparó al infinito y todavía hoy cuesta trabajo asimilarla.

Ya tuvimos nuestra primera plática de padre a hija. Y no es que no las hayamos tenido antes, pero fue la primera vez que la buscaste tener tú. Me hiciste tu cómplice, tu protector de secretos. De esos primeros secretos que son tuyos y que habitan en tu mente, en tu corazón y en tus fantasías. Esos secretos inocentes que son tan importantes para ti.

Confiaste en mí y estoy muy orgulloso de ti.

Eran las 6:30 de la mañana y me despertaste con un beso para ponerme al tanto de todo lo que habita en tu mente y en tu corazón. Recargaste tu cabeza en mi pecho y me dijiste: "Te amo, papi".

Me cuentas historias mezcladas entre la fantasía y la realidad.

Me haces reír mucho y cuando no me ves, lloro de amor por ti. Lloro de amor porque existes. Y lloro de amor porque te amo. Te amo, te amo, te amo... Ése es mi secreto y lo quiero compartir contigo.

Gracias por ser mi hija.

Este libro es para ti.

Hay quien piensa que mi sentido del humor
es como si me estuviera masturbando...
porque nada más yo lo disfruto.

el pelón en • sus tiempos de cólera

CUENTOS
INFANTILES

Estoy devastado, completamente devastado.

Hace apenas unos días me di cuenta por primera vez de que Bambi es macho y no hembra. ¿Tú ya lo sabías?

Toda mi infancia, mi adolescencia y gran parte de mi edad adulta viví engañado.

No sólo pasé deprimido un año completo por la muerte de su madre, sino que 35 años después descubro que Bambi es macho.

¡¿A qué macho se le puede poner un nombre como Bambi?!

Sucede que cumpliendo con las funciones de papá he estado viendo películas infantiles con mi hija y de verdad estoy aterrorizado.

¿Quién decidió que todo este degenere es para niños?

Hace menos daño ver películas pornográficas que películas infantiles, en serio.

En *Blanca Nieves*, por ejemplo, los siete enanos son la representación en vida de los siete pecados capitales.

Gruñón es la ira;

Dormilón es la pereza;

35

Feliz es la soberbia y la envidia;

Tímido es la gula;

Doc es la avaricia;

Tontín es la lujuria;

Estornudo probablemente tenga influenza porcina.

Y ahí estamos todos encantados y enamorados de los enanos mineros. De hecho la gente que ve esta película más de una vez está esperando desesperadamente mirar a los enanos cantar y bailar.

¿A quién le pueden dar ganas de cantar después de trabajar más de 15 horas adentro de una mina? Nada más a siete enanos depravados que se están saboreando las perversidades que van a hacer llegando a su casa.

Ellos y Blanca Nieves viven en el pecado... ¿Dónde está Jorge Serrano Limón cuando verdaderamente se le necesita?

¿Recuerdas la trama?

La reina, que es un ser noble, compasivo y bondadoso, no soporta que exista nadie más hermoso que ella. Y por esa razón le ordena a uno de sus esbirros que encuentre a Blanca Nieves y le arranque el corazón.

¿A poco no es un modo de vida ejemplar digna de compartir con nuestros hijos?

Eso no es todo, la reina tiene conversaciones con su espejo. ¡Con su espejo! Y cree en todo lo que le dice... Y luego nos sorprendemos cuando nos dicen que cada vez son más y más niños los que experimentan con drogas.

El esbirro de la reina le entrega a ésta el corazón de un venado para que crea que Blanca Nieves ha muerto... Estoy seguro de que ese corazón es el de la mamá de Bambi y este cabrón la mató...

Pinche Walt, ¡te odio!

¿Qué es Tribilín? Un perro, ¿no?

Y si es un perro, entonces ¿por qué anda con una vaca? Porque a mí no me engañan, Tribilín es novio de Clara Bella, y Clara Bella es una vaca.

Nunca he visto a ningún perro teniendo relaciones sexuales con una vaca, pero sería muy divertido. ¿Te imaginas al perro brinque y brinque y brinque para poder alcanzar la colita de la vaca? (Escribí colita y no vagina, por si acaso me lee un menor de edad.)

¿Por qué siempre escogen a una mujer para que haga el personaje de Peter Pan cuando la montan en teatro? ¿Qué nos quieren decir con eso? ¿Cuál es el mensaje? ¿Peter Pan es hermafrodita? Claro, ahora entiendo lo de las mallas y las botitas... Los niños perdidos sí estaban perdidos, pero en la perversidad...

Y ¿qué tal de sugestivo es el garfio del capitán Garfio?

La Sirenita, que es un pescado, termina casándose con un príncipe que no lo es. Eso se llama zoofilia, y la zoofilia no es legal. De hecho conocí a un amigo de un amigo de un amigo al que detuvieron por tener relaciones sexuales con un french poodle y lo acusaron de zoofilia, pero como el perrito era french poodle mini toy, también lo acusaron de pedofilia.

El cuento del patito feo es muy racista... A ver: una cosa es ser el primer presidente afroamericano y el mejor golfista del mundo, y otra muy distinta es ser un cisne... ¿Está claro?

En el cuento de *Caperucita Roja* me vas a perdonar, pero Caperucita es una ofrecida. Ella sabía muy bien desde el principio que podía encontrarse con el lobo; de hecho, ella se quería encontrar con el lobo, si no, para qué se viste con un color tan provocativo y seductor como lo es el rojo. El rojo es color del sexo, el color de la pasión. ¿Por qué no

38

usó verde o naranja?, ¡no! Se vistió de rojo para despertar la pasión del lobo.

Cuando se encuentra con el lobo ella es la que le da indicaciones de cómo llegar a casa de su abuelita, y a eso aquí y en China se le llama acoso. Además el lobo era travesti, porque hasta que está vestido de mujer es cuando se le antoja comerse a Caperucita.

Mi amigo el más gordo se internó durante
todo un mes en una clínica para bajar de peso...
¡Y perdió 30 días!

elpelónen•sustiemposdecólera

NIÑOS DE AYER Y DE HOY

Estoy harto de escuchar a las amigas de mi mamá hablar de sus nietos como si fueran niños prodigio. Tal parece que cuando éramos niños nosotros no las sorprendimos con nada...

—Ay, es que los niños de hoy ya traen un chip diferente, vienen con un chip recargado... Nacen adaptados a la nueva tecnología... Estas nuevas generaciones ya vienen muy adelantadas y definitivamente ¡son más inteligentes que nuestros hijos!

Pinches viejas, ¿ya se les olvidó que siempre me dijeron que me veían como parte de su familia y que me querían como a un hijo?

Señoras, los niños de hoy no son más inteligentes que los niños que nacieron en la década de los cincuenta, sesenta o en la de los setenta... Nosotros no apretábamos los botones de los teléfonos celulares o de los teléfonos inalámbricos porque no existían. Además, siempre que agarrábamos cualquier cosa, ustedes nos la quitaban con un manazo...

¿Ya se les olvidó que nos tenían encerrados en un corral de madera para no tener que pastorearnos por toda la casa?

41

¿Cómo íbamos a explorar nuestro pequeño mundo si en todos lados hacía frío y en todos lados nos íbamos a enfermar, a pegar o a caer?

De plano a los seis años llegué a pensar que mi vida no valía nada porque el Robachicos y el Coco nunca se aparecieron para llevarme con ellos. Por más que entraba a donde no debía y me comía lo que me haría daño, estos dos personajes jamás hicieron acto de presencia...

A los niños de mi generación nos castigaban cuando jugábamos con lodo, con basura, con tierra, con semillas, con diferentes texturas... y hoy a eso se le llama estimulación temprana.

Los niños de hoy no son más inteligentes que los de ayer por apretar los botones del control remoto... Cuando yo era niño no había control remoto... ¡yo era el control remoto!

Los sábados yo no sólo servía para ir por cervezas al refrigerador, sino también para cambiarle a los canales de la televisión... Y cuando no existía Cablevisión, hasta de antena la llegué a hacer para que se viera mejor una pelea de Rubén Olivares contra Alexis Argüello... Afortunadamente perdió *El Púas*, y como a mí me echaron la culpa de su derrota, ya nunca más me volvieron a utilizar de antena porque decían que no le daba buena suerte a los boxeadores mexicanos.

Los niños de hoy no son más inteligentes que los niños de ayer. La diferencia está en el trato, en la comunicación y en no querer repetir los mismos patrones de conducta de nuestros papás...

Desde que nacen los niños de hoy son recibidos por una cantidad estúpida y ridícula de artículos que no existían cuando yo nací...

HAMACA MULTIPOSICIONES PORTÁTIL...

Ya que los bebés no tienen nada que hacer, es muy importante que echen la güeva lo más cómodamente posible...

ESPEJO VIGILANTE...

Para "vigilar" a tu bebé mientras manejas. Para que el día de mañana tu hijo/a no te reclame que te perdiste "los mejores momentos de su infancia".

CALIENTABIBERONES PARA EL COCHE...

Hay que evitar los berrinches en el tráfico porque pueden causar accidentes.

MONITOR DE RADIO Y MONITOR DE TELEVISIÓN...

Para "estar pendiente" en todo momento de los ruiditos y movimientos de la criatura. De lo que se trata es de que los papás no vuelvan a tener vida propia.

MOCHILA PORTABEBÉ O CANGURERA...

Si nueve meses no fueron suficientes, no se preocupe, ahora sí ya puede hacerse mierda la espalda como es debido y cargar a su bebé 12 meses más.

HUMIDIFICADOR ULTRASÓNICO...

Es importante que su bebé tenga bien lubricadas las vías respiratorias para que en cuanto amanezca se ponga a gritar y a llorar lo más claro y fuerte que le sea posible.

Yo no estoy de acuerdo con la gente que dice que los niños de hoy son más inteligentes que nosotros cuando teníamos su edad. Lo que sí es completamente diferente es la comunicación, la información y la conciencia de los padres de hoy.

Dentro de unos años desaparecerán las camionetas familiares, porque las familias del futuro van a salir a pasear en un camión de mudanzas.

—Mi amor, ¿trajiste el cuarto de juegos de la niña?

—Sí, mi vida, lo puse junto a la pista de patinar de su hermanito...

Cuando éramos niños, mi amigo Gustavo
y yo nos peleábamos a golpes... Él insistía en
que su amigo imaginario era mejor que el mío...
(lo cual no era cierto, por supuesto).
Crecí y me di cuenta de que eso es lo que ha hecho
siempre la humanidad cada vez que una religión
dice ser mejor que la otra... La diferencia es
que cuando se trata de defender a ese amigo
imaginario, las peleas son a muerte...

el pelón en sus tiempos de cólera

CUENTOS
INFANTILES II

"Y entonces Dios eligió a Noé para construir un arca. Ahí, durante 40 días y 40 noches preservaría a las especies y el mundo se repoblaría una vez terminado el diluvio. Al cesar la tormenta, el arca se detuvo sobre el monte Ararat y una paloma volvió con una rama de olivo en el pico. Fue ésa la señal de que todo había terminado. Como recompensa, Dios se comprometió a pintar un arco iris en el cielo cada vez que saliera el sol después de una tormenta: así sabríamos que nunca se repetiría el diluvio universal."

Y yo que criticaba a Walt Disney por poner a bailar ballet a los hipopótamos en la película de *Fantasía*...

Mientras más leo el cuento de Noé, más me hago preguntas.

¿No habría sido más fácil que Dios Todo Poderoso le hubiera dado a Noé "frasquitos" con el ADN de todas las especies para luego clonarlas?

Lo de construir el arca me parece facilísimo en comparación con ir a atrapar a un macho y a una hembra de cada especie animal. ¿Te imaginas darle la vuelta al mundo atrapando animales?

Los pingüinos y los osos polares habitan en polos completamente opuestos. Los animales que viven en Australia no se encuentran en ninguna otra parte más que ahí y el jaguar nada más vive en América... ¡Vaya chinga la que se puso Noé!

"¡No!, Gomís, no seas estúpido, él no buscó a los animales, Dios se los mandó." (Te juro que esta frase la escuché en mi mente. ¿Habrá sido una señal? ¿Me estará hablando el Señor?)

¿Neta? Pues ya le podía haber dado también el arca terminada, ¿no? Pinche Noé, era muy inexperto, de haber sabido decir las frases que decimos hoy en día, seguro que hasta se ahorra la construcción del arca.

"Mañana, si Dios quiere, el arca estará terminada."

Y sin duda alguna Dios se hubiera sentido comprometido y le hubiera dado el arca terminada. Además, en ese entonces, como no había deportes y nadie jugaba a la lotería, Dios tenía mucho tiempo libre. Porque una cosa es ser Dios Todo Poderoso en esa época y otra muy distinta es serlo ahora.

Ser Dios en el siglo xxi sí debe ser más complicado que construir un arca y subir en ella a un macho y a una hembra de todas las especies de animales que habitan en el planeta. ¿Te imaginas a todo el mundo comprometiéndote?

"Si Dios quiere, ahora sí me voy a sacar la lotería"...

"Mañana, si Dios quiere, voy a convertirme en campeón del mundo"...

"Si Dios quiere, ahora sí me dan el aumento que tantos años he estado esperando..."

"Si Dios quiere, ahora sí avanzamos a cuartos de final en el próximo mundial..."

En cambio, si le pedías algo a Dios hace más de 2000 años, seguro que sí te escuchaba y sí te lo cumplía...

Al cesar la tormenta, el arca se detuvo sobre el monte Ararat y una paloma volvió con una rama de olivo en el pico. Fue ésa la señal de que todo había terminado.

A ver, una vez terminado el Diluvio Universal el arca se detuvo en Turquía, ¿cierto? Entonces, ¿cómo le hicieron los animales para regresar a su hábitat? ¿Les abrieron las jaulas y su instinto los hizo llegar de nuevo a su lugar de origen mientras que a lo lejos se apreciaba por primera vez un arco iris?

¡Jo-der! ¡Qué desmadre!

Me imagino que durante esos 40 días y 40 noches ninguno de los animales comió... Entonces, imagínate el hambre de los depredadores al salir del arca.

Por lo menos se han de haber comido a 100 especies de machos y hembras que hoy en día ya no deben existir ni en fósiles... porque como nada más había dos de cada uno... Y qué suerte tuvieron Noé y su familia de no ser devorados por un animal salvaje cuando los dejaron salir del arca...

—Sem, Cam, Jafet, hijos míos, tengan cuidado... No se los vaya a comer un león. Los necesito vivos a los tres y también a sus esposas... Si se llegan a morir ¿cómo volvemos a poblar el planeta?...

—¿Cómo que cómo volvemos a poblar el planeta, papá?

—Ah, es que no se los había dicho, hijos míos, pero Dios, que es puro amor y misericordia, acaba de matar con el Diluvio Universal a todos los seres humanos y ahora nos toca a nosotros volver a poblar el planeta. Así es que después de dejar a todos los animales en el hábitat que les corresponde, por favor se ponen a coger con sus esposas porque no hay tiempo que perder.

Cincuenta cosas
QUE NO ME GUSTAN

1   La gente que cree que sus hijos son especiales.
2   La gente que no me cree que mi hija sí es especial (ja).
3   El "yupi de izquierda" (Marcelo Ebrard)... Está tan comprometido con los pobres que supongo que sus ideas anticapitalistas y las ganas de ayudar a los necesitados le llegaron cuando estudiaba su especialidad en administración pública en París.

Lo que sí he de reconocerle es que siempre ha tenido muy bien definidos sus ideales políticos:

Primero fue secretario general del PRI en el Distrito Federal... luego le dio por la ecología y para ser diputado se cambió al Partido Verde. Estaba tan comprometido con el ecosistema y le preocupaba tanto el calentamiento global que fundó el Partido de Centro Democrático...

Hoy es del PRD y se preocupa muchísimo por los que no tienen, y para demostrar que él es uno más de los que no tienen, aprovechó su boda para pedir en su "mesa de regalos" muebles de más de 10 000 dólares. (El Che Guevara estaría muy orgulloso de él.)

De no divorciarse, seguro pasará también por Al-Anon (el lugar a donde van los familiares de los alcohólicos para poder entender a su enfermo), y finalmente para asegurar su lugar en el cielo no dudo que al final de su carrera política se cambie al PAN. Claro, siempre y cuando este partido siga con vida después de las mentiras en cuanto al decrecimiento económico del país.

4 Que el sexo oral no sea recíproco. (La reciprocidad debe ser obligatoria.)

5 Que alguien que no salió en la película *Y tu mamá también* crea que forma parte de los Charolastras. Los Charolastras son Diego y Gael... ¡Punto!

6 Perder la virginidad con la persona equivocada.

7 Que no te permitan entrar a la sala del cine con dulces o bebidas que no hayan sido comprados en su dulcería y que te pregunten que si por un peso más no prefieres un bote de palomitas más grande... ¿Por qué no te preguntan en la taquilla si por un peso más quieres quedarte a ver las películas que te dé la gana?

8 La doble moral de la Iglesia católica ante los casos de curas pederastas... Marcial Maciel no sólo fundó los Legionarios de Cristo, sino que también inició un movimiento de abuso infantil sin repercusión alguna.

¿Y qué tal la noticia de que Maciel también es papá?

¿Cómo le habrá hecho para conquistar a la mamá de su hija?

Seguro le presumió que su tío ya es santo y que su mamá está a punto de ser santa. Verbo mata carita y ser líder de los Legionarios de Cristo sin duda alguna lo mata todo.

Lo que sí hay que agradecerle a Marcial es que fue congruente consigo mismo y con las ideas de la Iglesia católica al no utilizar condón. Porque una cosa es violar niños inocentes y otra muy distinta es negarse a traer al mundo los hijos que Dios te mande.

Debe ser terrible haber renunciado a tu vida sexual para que después la gente que se confiesa te platique detalladamente de lo que te has perdido...

9 El 10 de mayo. No me gusta que me diga el comercio cuándo tengo que celebrar a mi mamá.

10 El 14 de febrero. ¿Por qué día del amor y la amistad? ¿No puede ser uno o el otro? ¿Por qué el amor y la amistad juntos? No son lo mismo.

11 Que ninguno de los dos zapatos le haya dado en la cara a Bush.

12 Que los japoneses nos quieran vender la idea de que el sumo es un deporte... Eso, señores, se llama OBESIDAD.

13 La canción "La Macarena".

14 El ajo. Nada que sea "tan bueno" para la salud puede oler tan mal.

15 La coreografía de la canción "La Macarena".

16 El chile.

17 La gente que hace cualquier comentario de doble sentido con la palabra *chile*.

18 Las mujeres que se quejan por tener "un día de cabello desastroso" *(bad hair day)*... Los hombres nunca vamos a tener días de cabello desastroso. Nunca haríamos un drama porque el pelo se nos está dividiendo en dos.

Qué más quisiéramos que así fuera. (Yo de eso hubiera pedido mi limosna.)

Me hubiera encantado angustiarme porque el pelo se me está dividiendo y no restando. Los nuestros no son días de cabello desastroso, sino de cabello destrozado... pero para toda la vida. Así es que no se quejen... La orzuela y la calvicie no son lo mismo.

19 La gente que baila "La Macarena".

20 Vomitar.

21 Lo que dijo la Iglesia en el último Encuentro Mundial de las Familias... Culpó a la mujer de provocar agresiones sexuales, por su vestimenta...

¡¿En serio?!

Supongo entonces que siguiendo la inteligente, sensible y nada machista línea de pensamiento que utilizan los líderes religiosos, los niños que han sido violados son también culpables por usar pantalón cortito, ya que de esa manera despiertan el deseo sexual que tienen reprimido los curas, ¿cierto?

22 Las canciones de Cri-Cri... Entiendo que Gabilondo es un icono de la cultura musical mexicana, pero no por eso tiene que gustarme.

23 Los "inteligentísimos" gorilas que están afuera de los antros decidiendo quién puede entrar y quién no. Como la selección natural o mecanismo evolutivo no los favoreció, ellos pretenden vengarse de todos aquellos que sí fueron favorecidos.

24 La cebolla.

25 La palabra *flatulencia*.

26 Las fiestas de 15 años en las que se baila el vals y además hay chambelanes. ¿De verdad no te parece ridículo que se tenga que "presentar en sociedad" a una niña nomás porque cumple 15 años? Yo lo veo más como un castigo. ¿Has visto los vestidos de las quinceañeras? ¿Y qué tal sus peinados? Y ya ni hablemos de las caras cursis y ojos llenos de lágrimas de los papás.

27 Ir al dentista.

28 Tener que pagar tenencia.

29 El matrimonio. (El amor es ciego y el matrimonio le devuelve la vista, sin duda alguna.)

30 Contar calorías. Alimentarse no tiene por qué ser tan angustiante.

31 La palabra *guisado*.

32 Que cuando las mujeres necesitan algo te lo piden en plural y no en singular. En lugar de decirte que pagues el teléfono, te dicen:

"Mi amor, tenemos que pagar el teléfono."

"Tenemos que ir a visitar a mi familia; tenemos cita con el contador; tenemos comida con mis amigas."

A ver, ¿por qué no aplican esta regla en todo?; deberían decirnos:

"Mi amor, nos hemos meado en el asiento del escusado otra vez."

33 Las nuevas películas de *La Pantera Rosa*... Deberían ejecutar a Steve Martin por deshacer lo que Peter Sellers hizo a la perfección.

34 Sentirme obligado a comprar arte sólo porque soy amigo del artista que me invitó a su exposición.

35 Las arañas... ¡Me dan pavor las arañas!

36 Los gordos que no aceptan que son gordos y dicen cosas como: Soy robusto, tengo los huesos anchos, retengo agua... ¡No mamen!

37 Las mujeres que creen de verdad que se ven bien siendo talla 0. Talla 0 no es una talla. El 0 no tiene ningún valor, a menos que vaya acompañado de un número antes.

38 Que alguien le pregunte a una mujer embarazada: ¿cuándo te curas? ¿Cuándo te alivias?

39 Que *El Peje* siga creyendo que es el presidente legítimo de México. Y si lo fuera, ¿a poco te puedes cambiar de partido a mitad de tu mandato?

40 La riqueza en exceso.

41 La pobreza.

42 La expresión "gente bien". ¿La gente bien es la que tiene dinero? ¿La gente educada? ¿La gente con principios? ¿La gente que respeta a los demás sin importar la clase social a la que pertenezcan? ¿Qué es gente bien?

43 Que el agua no se comporte de la misma manera con hombres y con mujeres... A las mujeres les echas agua y todo les crece, en cambio a los hombres todo se nos encoge.

44 La palabra *cotorreo*. ¿Quién "cotorrea" en 2009? Fuimos a "cotorrear" al centro comercial... El "cotorreo" que nos traíamos en la fiesta estuvo muy chido... Ese güey es bien "cotorro".

45 Que la gran mayoría de los mexicanos nos avergoncemos de nuestros indígenas en lugar de sentirnos orgullosos por ellos.

46 Que los policías se digan "pareja" entre ellos.

—¡Vamos a ponerle en su madre a los asaltantes, pareja!

47 Que los del grupo Rebelde crean de verdad que son rebeldes... Ya me imagino lo que pensarían el Che Guevara y Zapata de su "rebeldía". (Supongo que para demostrar que no son "artistas de plástico" tuvieron que dejar de fabricar los muñecos con su imagen.)

48 Que la campaña de la compañía de telefonía celular del hombre más rico de Latinoamérica diga: uno de cada dos mexicanos es Telcel... Claro, y los que no lo son, no tienen qué comer... ¿A poco no dan ganas de mandarlo a chingar a su madre en Infinitum?

49 Que en México tengamos que marchar a cada rato para exigirles a las autoridades que hagan su trabajo.

50 Que el proctólogo te diga que te relajes.

SEGUNDA PARTE

COMO SEGUNDAS PARTES NUNCA FUERON BUENAS,
FAVOR DE PASAR A LA TERCERA...

TERCERA PARTE

DE NEUROSIS

UN NEURÓTICO
SIN REMEDIO

¿Sabías que nueve de cada 10 asesinatos son cometidos por gente que conoce a la víctima? Razón suficiente para ser antisocial, ¿no?

Teniendo pocos amigos disminuyen las probabilidades de morir asesinado y también las de quererte convertir en asesino.

Sí, lo sé, soy un neurótico sin remedio.

No soporto que ningún amigo o conocido me diga:

• Mi casa es tu casa.

• Estaba comiendo en mi casa que es la tuya.

• En el 126 de la calle de Jardín tienes tu humilde casa.

Cada vez que alguien me dice alguna de estas frases, ¡me dan ganas de matarlo! Si todavía no he jalado del gatillo es porque me distraigo diciendo "gracias", "muchas gracias", cada vez que alguien me ofrece su casa.

¿Por qué esa maldita manía de querer hacer de tu casa la casa de los demás? Y para aderezar la ridiculez, convierten la casa que nos están ofreciendo en una "humilde casa"...

Si es tan "humilde", ¿por qué no me regalan las escrituras?

Somos educados de una manera muy forzada.

Hagamos una cosa: tú vive en tu casa y yo en la mía, ¿de acuerdo?

Cuando voy a salir de viaje no soporto que me digan:

—Ay, no sabes la envidia que me da saber que te vas de viaje a Nueva York, pero envidia de la buena, ¿eh?

¿Envidia de la buena? ¿De cuándo acá existe envidia de la buena? La envidia es envidia, punto, y no hay de la buena.

Ahora resulta que sentir pesar por el bien ajeno y sentir deseo por algo que no posees se puede ver de manera buena... ¡Es absurdo!

¿Te da envidia de la buena que me vaya de viaje? Con razón no tienes ni un solo enemigo... pero curiosamente todos tus amigos te odian... Con odio del bueno, por supuesto.

No entiendo cómo puede alguien tenerle envidia a otra persona que va a viajar... Para empezar, hay que llegar tres horas antes al aeropuerto... Quiero suponer que tú también eres un maniático de la puntualidad como yo y por lo tanto sabes que tres horas antes son tres horas antes... No una, ni dos, ni dos y media, sino tres.

Para llegar tres horas antes al aeropuerto uno debe planear muy bien la hora de la salida de su casa, y ésa debe ser por lo menos una hora y cuarto antes de que empiecen a correr las malditas tres horas de anticipación que se nos piden por igual y sin excepciones a todos los pasajeros.

Una vez que estás en el aeropuerto muy puntual es verdaderamente frustrante que no puedas documentar porque los que atienden en el mostrador de tu vuelo todavía no han llegado... ¿Por qué el reglamento de las tres horas no aplica de igual manera con los pasajeros que con los trabajadores de las aerolíneas? No es nada divertido poner las "petacas" durante una hora sobre el "equipaje" mientras esperas.

Y tampoco es divertido que las personas que esculcan minuciosamente tu equipaje desconozcan los nuevos modelos de juguetes sexuales que existen.

—No, señor, no es una pistola, es un dildo, y no, no son balas, son las pilas. ¿De verdad no sabe para qué sirve? Y eso que empezó a vibrar no es mi cepillo de dientes... Sí, ya sé que vibra, por eso se llama ¡vibrador!

Y lo que eleva la conversación a niveles intelectuales muy avanzados es lo siguiente:

—¿Declara que fue usted quien hizo la maleta? ¿No recibió ayuda de algún desconocido?

—Sí, señor esculcador de maletas: me declaro culpable... Estaba yo en mi habitación empacando cuando de pronto "un desconocido" salió del clóset y muy amablemente se ofreció a ayudarme y yo accedí.

Antes de ir a la sala de abordar hay que pasar por otra revisión minuciosa de rayos X, para la cual debes quitarte zapatos, chamarra, cinturón, reloj, gorra, lentes, cadenas y ponerlos en una caja de plástico junto con tu cartera, monedas, llaves, anillos y el celular. Lo que no te dicen es que existe un tiempo límite para quitarte y volverte a poner las cosas, y si llegas a pasarte de ese tiempo, automáticamente te ganas el desprecio y maltrato de las mismas autoridades que ya te habían despreciado y maltratado mientras ponías tus cosas en la caja de plástico. Finalmente y después de tres horas, ya te dan permiso de subirte al avión. Y eso de subirme a los aviones siempre me ha puesto de malas. Yo nunca me he subido a un avión, ¡nunca! Siempre he entrado en ellos. Y nunca me he bajado de un avión, siempre he salido de ellos. He subido en el avión a muchos pies de altura y después he bajado en el avión esos mismos pies hasta aterrizar ¡pero al avión entro y del avión salgo!

¿A poco pensabas que las tres horas que paso en los aeropuertos antes de "subirme" al avión las desperdiciaba en pensar tonterías? He llegado a conclusiones realmente importantes en los aeropuertos. Lo que todavía no me queda muy claro es por qué no nos dan de comer dignamente en los aviones.

En mi último viaje me preguntaron:

—Señor, ¿va a cenar?

—Sí, señorita, ¿qué opciones tengo?

—Cenar o no cenar

¡No vuelvo a volar por American Airlines!

Nunca he podido con los diminutivos. No soporto que la gente hable en chiquito y mucho menos que tengan nombres diminutivos como Benito, Jovita, Teresita o Maurita... Siento que quieren que les hables con cariño a la fuerza. Y si de verdad llegas a conocer a una Jovita y quieres hablarle con mucho cariño se oye terrible que le digas Jovititita. ¿No? ¿A poco a los Benitos cuando son muy niños les dicen Benitito?

Por lo menos Benito y Jovita tienen a su favor que no existen nombres como Beno o Jova, pero las Teresitas y las Mauritas ¿qué pretexto tienen?

Ya de por sí Teresa es un nombre espantoso, no tienen por qué llevarlo al siguiente nivel y transformarlo en Teresita.

Y ni qué decir de la gente que por querer ser más educada te dice:

- Compermisito...
- Provechito...
- ¿No me echas una manita?
- Paso por ti en la nochecita...
- Hoy ya no me da tiempo, pero te lo entrego mañanita...
- Joven, ¿lo molesto con una servilletita y una cucharita?

- Se me antoja un cafecito con un pastelito y unas galletitas...

No soporto que en México la gente hable en diminutivo y mucho menos que lo haga en superlativo como en el futbol.

¿Te has dado cuenta de que en México el tema del futbol es muy exagerado? Somos tan poquita cosa en el panorama mundial que todo lo hacemos grande.

En el futbol mexicano no hay un líder, hay superlíder. No se juega un clásico sino un superclásico al que le dicen también "clásico de clásicos" A la liguilla le dicen "la fiesta grande". Afortunadamente los superlativos se nivelan con los directivos porque no son pendejos, son superpendejos.

Otra cosa que no soporto es a la gente *new age*. Hoy todo mundo toma clases de yoga, lee a Chopra y a Coelho, es olactovegetariano, prende inciensos, compra cuarzos y los que están muy *in* gustan de beberse su orina.

¡Qué vanguardistas!

¡Qué diferentes!

¡Qué innovadores!

Prefiero beber agua del canal de Xochimilco antes que ponerme a beber aquello que mi cuerpo muy inteligentemente ha decidido "desbeber".

Si ya salió, ¿por qué hacerlo entrar de nuevo?

¿Por qué ir en contra de las leyes de la naturaleza?

El cuerpo es sabio y sabe muy bien por qué no quiere lo que está "desbebiendo"...

Los seres humanos estamos al principio de la cadena alimenticia, no somos carroñeros.

Te comparto lo que leí en la contraportada de un libro de orinoterapia:

"La orina tiene propiedades incomparables, ayuda a que tu cuerpo se regenere, cura enfermedades que ni siquiera la medicina moderna puede curar"...

¿En serio?

Entonces ¿para qué estudiar medicina si la orina lo cura todo?

—Doctor, me sigue doliendo mucho la cadera cuando camino.

—No se ha tomado los vasos de orina que le recomendé, ¿verdad?

—Doctor, ¿por qué las cicatrices de acné que tengo en la cara no han desaparecido? ¿Cuánto más va a tardar el tratamiento?

—Amigo mío, eso depende de cuántos litros de su orina se tome al día. Recuerde que la orina de otra persona no funciona. Si bebe una orina que no es la suya, entonces es como si estuviera bebiendo meados.

¿Cuál es la diferencia? La orina es orina y no importa si es tuya o mía... ¡Es orina!

En la contraportada del referido libro también decía algo muy destacado:

"Es importante contar con el asesoramiento de un especialista, ya que entre las posibles reacciones que puede tener el organismo se encuentran diarrea, sueño profundo, insomnio, estreñimiento, alergia, picazón, absceso, fiebre, inflamación, dolor de muelas, calambres, taquicardia, mareos, secreción vaginal y dolores en el pulmón."

¿Cómo pueden llamarle "medicina alternativa" a algo que como efecto secundario te produce fiebre, calambres, taquicardia y dolores de pulmón?

Es increíble lo que el ser humano puede hacer con tal de buscar la perfección.

Hoy todo mundo habla de un libro que se llama *El secreto*. ¿No que no es bueno guardar secretos? ¿Cuántas veces nos lo dijeron de niños?

Un secreto era prohibido. Y ahora todos matan por tener *El secreto*. Todo mundo quiere saber de qué se trata la famosa ley de atracción. Y ésta dice que los seres humanos somos capaces de transformarnos en nuestros pensamientos y de atraer todo lo que queramos, sin límites.

Sabiendo que nuestra mente es tan poderosa, ¿por qué entonces no pensamos y visualizamos que estamos sanos en lugar de beber orina? Sería más fácil y menos asqueroso.

Con tanta modernidad y vanguardismo, al rato vamos a saludarnos todos como si fuéramos perros y vamos a olernos la cola para decir: mucho gusto, encantado.

¡No soporto a la gente positiva!

Esas personas que siempre están sonriendo y que pareciera que los pajaritos están volando a su alrededor, ¡me dan ganas de matarlas! La vida no es una comedia musical. La gente perfecta no existe. Enojarse es todavía más humano que equivocarse.

Algo te debe molestar, alguien te debe caer mal, con alguien te deben dar ganas de pelear o de gritar. Debe existir por lo menos una persona en el mundo que acabe con tu paciencia.

Nunca he confiado en las personas que tienen una sonrisa constante en su rostro. ¡No les creo!

La vida está hecha de contrastes. No todo es bonito y no tenemos por qué buscarle el lado bueno a todas las cosas. El hambre, la desnutrición, las guerras, la inseguridad, el narcotráfico y el pezón de Elba Esther Gordillo no son cosas que haya que celebrar o por las que haya que sonreír.

¿Sabes qué desata mi neurosis como nada (*El Peje* y su carnal no cuentan)?

Los boy scouts, las estudiantinas y los villancicos.

Ahora que ya están prohibiéndolo todo en el DF, ¿por qué no me hacen un favor y prohíben la existencia de estos grupos?

Los boy scouts buscan el desarrollo físico, espiritual y mental de los jóvenes para que puedan constituirse en "buenos ciudadanos". ¿Neta?

Supongo entonces que en el momento en que consigues esas "metas" te das cuenta del ridículo que estuviste haciendo durante muchos años y los mandas a chingar a su madre. ¡Seguro!

A ver, si ya desarrollaste tu espíritu, tu mente y tu físico, debe ser más que evidente que ponerte pantalón cortito y andar con una brújula en tu bolsa y una mascada amarilla en el cuello es una tontería.

(De los seis a los 17 años eres un boy scout. Después te conviertes en girl scout.)

Y ni qué decir del pandero y la capa de los integrantes de la estudiantina... ¡Con capa ni El Santo, el Enmascarado de Plata, se ve varonil! Y con pandero, ¡nadie!

El pandero es una versión gay del tambor.

El tambor es muy masculino, pero si le pones cascabeles le da por pandearse. De ahí viene el nombre de pandero.

El pandero me recuerda a las sonajas de los bebés. Un bebé con una sonaja da mucha ternura y un adulto con un pandero da mucha lástima.

Nadie que tenga un pandero en la mano puede pretender que se le tome en serio.

Uy, y cuando llega diciembre y las estudiantinas cantan villancicos en las noches coloniales me dan ganas de lacerarme los oídos con un picahielo para no escucharlos. No soporto los villancicos y menos en las voces de las estudiantinas.

"Ande, ande, ande, la marimorena"... y aquí entra el sonido del pandero... "ande, ande, ande, que es la nochebuena"... más pandero acompañado de movimiento corporal ejecutado por adolescentes con capas...

Carecen de buen gusto... Carecen de sentido musical y sobre todo: ¡carecen de madre!

Pero burlarte de las estudiantinas y de los boy scouts ya es más viejo que el camino a mi casa, a mi humilde casa, que también es la tuya.

¿Qué tienen en común el tofu
y los vibradores?
Ambos son buenos sustitutos de la carne.

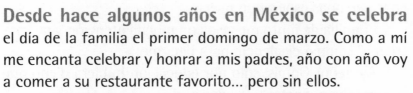

SÓLO
POR EDUCACIÓN

Desde hace algunos años en México se celebra el día de la familia el primer domingo de marzo. Como a mí me encanta celebrar y honrar a mis padres, año con año voy a comer a su restaurante favorito... pero sin ellos.

No, por favor, no me leas así. Yo jamás me burlaría de un día que lo único que pretende es rendirle tributo a la base de la sociedad.

Si no existiera la familia, las calles seguramente estarían llenas de delincuentes, de malhechores (siempre quise escribir esa palabra) y de narcotraficantes.

Afortunadamente para los mexicanos, el sexenio pasado se creó la Guía de Padres (¡gracias, Martita, eres lo máximo!) y con ello las familias mexicanas han dejado de ser disfuncionales y poco a poco van regresando a la normalidad.

La última vez que mi familia y yo celebramos algo juntos terminamos en los separos de la Delegación Miguel Hidalgo. Por esa razón cuando se trata de celebrar algo en familia, a mí me gusta celebrarlo sin la mía, y el último Día de la Familia no fue la excepción.

el pelón en sus tiempos de cólera

73

Eran casi las cinco de la tarde y yo estaba terminando de festejar el distanciamiento de mi familia con un churrasco cuando de pronto se acercó el dueño del restaurante a saludarme y a decirme de manera muy amable que con mucho gusto él me invitaba el postre y un digestivo.

De una manera también muy amable le dije que yo no tomo alcohol y que nunca me han gustado los postres, pero que con muchísimo gusto le aceptaba unas empanadas de carne y de elote con queso... para llevar.

En ese momento dejó de ser amable conmigo y sin que yo se la pidiera me mandó la cuenta. Con una sonrisita forzada me pidió que me apurara a pagar porque afuera tenía a muchas personas esperando mesa.

La familia de junto me veía con mucha atención y la "matriarca" rompió el silencio para decirme:

—Ay, señor Gomís, sólo por educación hubiera dicho que sí aceptaba el postre y la copita...

¿Sólo por educación?

¡Sólo por educación deberían preguntarme primero si me gustaría tapar mis venas y arterias con triglicéridos y colesterol con uno de sus postres!

¡Sólo por educación me hubiera preguntado si me gustaría matar las neuronas de mi cerebro con un trago de alcohol!

Las neuronas muertas del cerebro ya no se vuelven a regenerar y el azúcar refinada miembro de la familia de los carbohidratos compuestos está matando a mucha gente en el mundo.

¿Sólo por educación?

Sólo por educación no lo demandé por intento de homicidio.

¿De qué sirvió ir sin mis papás si la voz de mi mamá empezó a atormentarme de la misma manera en que lo hizo hace 35 años, cuando recibí la primera invitación de mi amigo Gustavo para comer en su casa? Todavía recuerdo esas palabras como si fuera ayer:

—Entiende muy bien, Hectorito, que cuando esa familia te vea comer no te va a juzgar a ti, sino a tu padre y a mí. Mañana en casa de tu amiguito se pondrán a prueba nuestros valores como familia... Y si tú piensas que los abuelos huyeron de la Guerra Civil española y dejaron a Franco para venir a México a buscar una nueva vida y empezar otra vez desde abajo para ser juzgados por tu mal comportamiento, estás muy equivocado. No quiero ni una queja de ti. ¿Me entendiste?

Llegó el gran día y cuando en casa de Gustavo me preguntaron:

—¿Te gusta la pancita?

Con una gran sonrisa dije que sí...

Después del sermón de mi mamá, si me hubieran dicho:

—¿Te gusta la mierda?

Con una gran sonrisa también hubiera dicho que sí.

Después de la primera cucharada, me arrepentí de haber nacido. Después de la segunda, sentí que debía correr al baño y devolver todos los valores familiares con los que había llegado hasta ese día. Después de la tercera cucharada, corrí al baño. Y "sólo por educación" vomité en la cocina porque el baño estaba alfombrado.

NEURÓTICO
HASTA PARA IR AL BAÑO

Cuando se trata de ir al baño me convierto en un ser lleno de manías; por ejemplo, si no estoy completamente solo... no puedo. ¡No puedo! Todo tiene que ser perfecto, si no, ¡no me sale! ¡¡Y no sale!!

Ir al baño debe ser un acto de tranquilidad absoluta.

No se necesita el mismo silencio para cada una de las modalidades de ir al baño, como tampoco ninguna de las modalidades emite el mismo tipo de sonido, así es que lo primero que hago es poner un poco de música para ir relajando la mente y el cuerpo.

Después me gusta concentrarme muy bien para que no haya ninguna falla. Eso es algo con lo que no podría vivir, y como soy perfeccionista no me lo perdonaría nunca. Por eso todo a mi alrededor tiene que estar en perfecta calma.

La pasión que se vivió a la hora de comer debe seguir viva.

¿Por qué si uno dedica tanto tiempo a pensar qué va a comer, cómo lo va a preparar, qué va a beber, con quién lo va a compartir, no se toma el mismo tiempo en pensar cómo lo va a "descomer"? Yo me lo tomo con calma y con filosofía. ¿Cuál es la prisa? Cuando las cosas se hacen con prisas, salen mal hechas.

Por eso hay algo que nunca voy a entender: la gente que trabaja en los baños de los restaurantes.

¿Cómo se puede ir al baño tranquilo y en paz si hay alguien afuera escuchando todo lo que estás haciendo?

Si haces ruido en extremo, ¿qué inventas para decirle que no fuiste tú? Ésa no es la mejor forma de romper el hielo o de iniciar una conversación.

¿Qué te puede decir alguien después de uno de ésos?

—¡Qué bien cocinan en su casa, señor!

Además, es toda una aventura poner el papel de baño alrededor del escusado para no infectarte las nalgas. Cualquier movimiento en falso y el papel se resbala, y ya tienes medio cachete puesto en el escusado.

Ya sé que lo mejor es hacerlo "de aguilita", pero como en esa posición estás a más distancia de la taza, el agua salpica con más violencia... y si hay algo a lo que todos le tenemos pánico, ¡es a ser salpicados por una gotita de agua de baño público!

Luego, como no tienes práctica (si eres mujer, pues sí la tienes), llega un momento en el que te empiezan a temblar las piernas y terminas por perder el equilibrio cayendo nuevamente en la maldita taza del escusado. Todo este numerito y el ruido que estás haciendo provocan que la persona que trabaja en el baño se preocupe por ti y te pregunte:

—¿Todo bien, joven?

Y sin pensarlo ya te encuentras teniendo una conversación con alguien que no conoces en un momento que debe ser de absoluto silencio.

Cuando vas al baño y las cosas no salen como tú lo esperas, empiezas a hacer caras extrañas y ruidos que sólo haces cuando estás en la intimidad con tu pareja.

No es lo mismo ir tenso que ir relajado. La tensión no es buena en ningún momento. Uno no tiene por qué sentarse en el baño con tensión; es más, uno no debe hacer absolutamente nada con tensión. Es como cuando estás a solas con una mujer, lo peor que te puede pasar es estar tenso, nervioso. Todo tiene que ser perfecto, nada ni nadie te debe interrumpir. Estos momentos de placer se tienen que vivir lentamente, poco a poco, porque si nos aceleramos a los hombres se nos acusa de ser precoces, se nos dice que no servimos. Nos mandan a clínicas para la disfunción eréctil y ahí nos prometen que todo va a ser confidencial, pero tarde o temprano termina enterándose todo el mundo de tus problemas... y claro, terminas tapándote del coraje.

Por eso, para evitar que tu vida se ande comentando por todos lados, convoco a una marcha nacional y un bloqueo en las vías principales de la ciudad en contra de las personas que laboran dentro de los baños dizque para darte mentas y ayudarte a secar las manos.

¡Vayamos al baño en paz!

Tengo una amiga que anduvo mucho tiempo
con un gordo; me platicó que cuando hacían
el amor ella siempre experimentó doble placer:
Cuando alcanzaba el orgasmo y cuando él
se le quitaba de encima. Literalmente, sentía que
se la habían planchado. Sentía que hacer el
amor con un gordo era como dejarte caer un
ropero encima pero con la llavecita puesta.

OTRAS 50 COSAS
QUE NO ME GUSTAN

1   Que existan personas como Hugo Chávez. (Simón Bolívar estaría tan orgulloso de él.)
2   Que no existan más personas como Eufrosina Cruz.
3   Una mujer que chifle como arriero... Y menos si es la mía.
4   Que la sopa esté hirviendo.
5   La gente que le pone un hielo a la sopa para que se enfríe.
6   Subirme a un elevador y que un simpático me pregunte: "¿por qué tan serio?" ¿Cómo debe subirse uno al elevador para que no le hagan esa pregunta?
7   Que los franeleros le digan "güero" a alguien que tiene la piel más oscura que ellos.
8   La gente que no sonríe... Y menos cuando te está dando un servicio por el que vas a pagar.
9   El olor de los baños públicos.
10 Los pericos que hablan... A mí nadie me dijo que los pericos hablaban. Tenía seis años cuando acompañé a mi mamá a casa de una de sus amigas más aburridas. Después de recibir los típicos elogios que las ancianas

les hacen a los niños, decidí subir a la azotea para explorar... Y ahí estaba Él. En cuanto me acerqué a su jaula para verlo mejor, me dijo:

—Hola... Yo soy un loro precioso... Precioso.

¡Puta madre! Me aterroricé. Estaba muerto de miedo y las piernas no me respondieron para echarme a correr. Y cada vez que el perico hablaba, mi corazón volvía a latir más fuerte.

¡Puta madre! Los animales no hablan...

Cuando por fin pude moverme, empecé a sentir un miedo más grande. ¿Qué le iba a decir a mi mamá? ¿Cómo iban a creerme mi mamá y su amiga que el perico hablaba?

Sin duda alguna es de los peores momentos de mi vida.

11 Los Crocs. ¿Quién les dijo que se ven *cool* con eso?

12 Las preposadas... ¿Qué es eso? Es como si el 3 de septiembre invito a mis amigos a celebrar el pregrito... O dos semanas antes de tu cumpleaños organizas tu precumpleaños... ¡Ah! Y en el precopeo ya estás chupando... ¿Por qué ponerle un prefijo a una palabra que no lo necesita? ¿Acaso a la botana se le dice "precomida"?

13 Que en el Encuentro Mundial de las Familias también dijeran "que las mujeres no deben trabajar, porque al hacerlo menguan la educación de sus hijos."

Con lo misógina que es la Iglesia al rato van a prohibirle a los hombres poner a una mujer en un pedestal... y la razón para prohibirlo será decirles que desde el pedestal la mujer no alcanza a barrer la casa, trapear la cocina, hacer las camas, lavar la ropa... a mano, porque de hacerlo en lavadora serían libres, y eso no lo van a permitir.

Decir que a la mujer la liberó la lavadora es tan estúpido como decir que lo que la esclavizó fue lavar a mano...

14 La mediocridad.

15 La homofobia.

16 La xenofobia.

17 Que la Iglesia no haga caso de los siguientes mandamientos:

"NO COMETERÁS ACTOS IMPUROS" y "NO CONSENTIRÁS PENSAMIENTOS NI DESEOS IMPUROS".

La pedofilia es un acto impuro y querer esconderla también lo es.

18 Que alguien me diga: "Vamos a tomar la copa".

19 La palabra *ambigú*.

20 Saber que la mujer que acabo de invitar a salir tiene hora de llegada.

21 Que las amigas de mi novia sean más guapas que ella... La próxima vez que conozca a una mujer, antes de entusiasmarme con ella le voy a pedir que me presente a sus amigas para ver si mejor me entusiasmo con alguna de ellas.

No hay nada peor que salir con una mujer que tiene amigas guapas. La tentación está presente todo el tiempo, no sabes cómo comportarte y qué ojos poner para que no se note que te gusta.

Yo no soy muy bueno para disimular y eso me hace estar en un dilema.

Si te portas muy amable puede parecer que te gusta, y eso sí es muy peligroso porque enseguida tu novia te empieza a atacar con múltiples preguntas incómodas:

—¿A poco Carla no tiene una cara divina?

¿Qué le contestas, si en verdad tiene una cara divina?

—¿Carla? Le huele la boca a pantano medieval, por eso no hay nadie que se le acerque.

—¿A Carla? ¿Qué te pasa, estás loco? Le llueven galanes; yo creo que de todas mis amigas es la más guapa.

¡Yo también lo creo!

¡Ah! Pero si te portas seco e indiferente inmediatamente tu novia te ataca:

—Héctor, ¿por qué no eres amable con Carla? Tú sabes muy bien que somos inseparables desde la primaria. Qué es lo que buscas con esa actitud, ¿separarme de ella? ¿Eh?, ¿separarme de ella? Pues estás equivocado si crees que yo voy a dejar a alguna de mis amigas por ti. Nosotras hicimos un juramento cuando nos fuimos al campamento de verano: "NINGÚN HOMBRE VA A ESTAR POR ENCIMA DE NUESTRA AMISTAD". ¿Me escuchaste?, así es que vas a seguir conviviendo con Carla cada vez que nos vayamos a Cuernavaca los fines de semana y le vas a poner buena cara y vas a ser lindo con ella o lo nuestro se va a la fregada.

En ese momento te das cuenta de que todo se fue a la fregada, incluyendo lo de la oportunidad con Carla, porque ella también es parte de ese juramento.

22 Que la novia de alguno de mis amigos me guste.

23 Tener que preguntarme más de mil veces: ¿qué vale más la pena? ¿Mi amistad con mi amigo o bajarle su novia?

24 Que en el Auto Mac me digan: ¿Quieres un pay de manzana para acompañar tu orden?

25 Que la empresa en la que trabajas te regale un pavo congelado como regalo de Navidad.

26 La Navidad.

27 Las sonrisas hipócritas de toda la gente durante la época navideña.

28 El papel de baño que raspa.

29 Los bautizos. Una cosa es la costumbre y otra tragarte todo lo que dice el cura a la hora de echarte agua en la cabeza... Y para eso hay quienes empeñan hasta su acta de defunción...

Creo que Darwin se equivocó al decir que somos la especie más inteligente del planeta.

30 Las bodas.

31 La ortografía cibernética. Me *kaga ke* usen la "k" para todo.

32 Que los doctores ya no hagan consultas a domicilio...

33 Tener que hablarle de "usted" a las personas para que no se ofendan y entonces sientan que así los respetas. Hablarle de "usted" a la gente no es una forma de respeto. "Chingue usted a su puta madre" es muy ofensivo y nada respetuoso.

34 Saber que lo único sensible que hay en mí son mis dientes.

35 Que no hagan barras de chocolate que sepan igual que el chocolate que cubre las pasitas con chocolate.

36 Las pasitas.

37 Tener que comprar pasitas con chocolate y escupirlas cuando el chocolate ya se les terminó.

38 No acordarme de mis sueños.

39 Pagar por tener sexo.

40 Ir de mi cuarto a la cocina y no saber por qué demonios estoy ahí.

41 Las personas que te dicen "amigo": hola "amigo", bienvenido a Cinemex, hola "amigo", ¿te puedo tomar tu orden?

Si no eres la persona que llegó conmigo al cine, entonces NO ERES MI AMIGO. Si estás tomando mi orden y no vas a ver la película conmigo, TAMPOCO ERES MI AMIGO.

42 Que no exista una llave que diga "agua tibia" para facilitarnos las cosas.

43 Tener que conseguir unas tijeras para poder abrir un paquete que trae tijeras.

44 Los actorcillos y comiquillos que creen que por haber hecho más de 150 películas ya son una institución. Cantinflas, Tin Tan y Pardavé no actuaron en tantas películas y sin embargo dejaron un legado muy importante en la cinematografía nacional.

45 Los necios que no entienden que NO SE PUEDE FUMAR ADENTRO DE UN LUGAR PÚBLICO. No fumar significa eso, no fumar... La ley no dice "favor de preguntar a los demás si les molesta que fumes". ¡Carajo!

46 Tardarme tanto abriendo un CD nuevo. ¿Con qué demonios los cierran? ¿Hay alguien que los haya podido abrir a la primera?

47 Los idiotas que escriben en Facebook que su cita favorita sería una cena romántica o que ellos no entraron a Facebook para tener citas... ¿?

Una cita es ésta:

"Si los pendejos volaran, no veríamos el cielo."

48 Escuchar decir a alguien que se le puso el "ojito Remi".

49 Que a la Diet Coke en América Latina se le diga Coca Light.

50 La *happy hour* de los bares. La felicidad no significa tomar dos chupes por el precio de uno... Felicidad es tener dinero para pagar todos los chupes del bar y ser abstemio.

CUARTA PARTE

DE SEXO

INCOMPLETO
Y PERVERSO

Hace muchos años, 26 para ser exacto, yo perdí un testículo. No, no te rías, estoy hablando en serio: ésta es una historia de la vida real. Yo jamás utilizaría este libro para mentirte y mucho menos jugaría con algo tan delicado como lo es un testículo.

A los 14 años, justo en plena efervescencia adolescente, perdí un testículo en un accidente deportivo. Desde entonces considero al futbol un deporte extremo. ¡Y cómo no va a ser un deporte extremo! Si además de perder el testículo tuve dos fracturas de peroné, perdí dos dientes, me desviaron el tabique y los dedos de mi mano derecha están chuecos de tantas patadas que me dieron. Y si a esto le agregamos que tampoco tengo vesícula, ni apéndice, ni pelo, puedes considerarme un engendro de la naturaleza.

Yo nunca voy a poder echarle ganas a las cosas. ¡Nunca! Le puedo echar gana, mucha gana, muchísima gana, pero ganas... no. Me es imposible hacer las cosas por mis huevos.

Y no pienses que mi pérdida me volvió inseguro, porque no lo soy. Si hay gente que puede tener una vida normal teniendo un ojo, un riñón, un brazo, una pierna, ¿yo por qué no iba a tener una vida común y corriente teniendo un güevo?

Cuando comenzó mi vida sexual yo ya sabía de antemano que si no hacía disfrutar a las mujeres por lo menos las iba a matar de la risa. Y un ataque de risa puede compararse con un orgasmo, y muchos ataques de risa en la misma noche son lo mismo que orgasmos múltiples; bueno, tal vez estoy exagerando un poco, pero la risa es un gran afrodisiaco. Es más, me atrevería a decir que la risa es mil veces mejor que un orgasmo.

La diferencia está en que la risa puede ser provocada por alguien que no conoces, en cambio un orgasmo no... Bueno, no es verdad porque las prostitutas provocan orgasmos y no necesariamente se les debe conocer a fondo... Corrijo, más bien sí.

A ver, imaginemos por unos momentos que la risa y los orgasmos fueran lo mismo.

Un ataque de risa te deja respirando fuerte, al igual que un orgasmo. Un ataque de risa produce ruidos, al igual que un orgasmo. Un ataque de risa tonifica los músculos del abdomen, al igual que un orgasmo, y un orgasmo sólo se tiene en privado o junto con otra persona o dos o tres... Máximo cuatro. Eso ya depende de la suerte o de la perversión y capacidad de ligue y convencimiento de cada quien. En cambio cuando te ríes no importa cuánta gente esté presente. Y tampoco importa si usan protección o no.

Siempre he pensado que la gente que no se ríe debe tener frigidez en su vida sexual; es más, me atrevería a asegurarlo: la gente que no se ríe debe tener frigidez en su vida sexual... bueno no, porque si esto es verdad, entonces todos los que se ríen desde el primer chiste serían eyaculadores precoces.

Por si las moscas, yo siempre empiezo a reírme a partir del chiste número 7.

¿Sabes cómo me decían en la escuela? *El Unigüevo.* Qué creativos, ¿verdad? Y no lo digo por los que se pusieron de acuerdo para crear el apodo de *el Unigüevo,* no. Lo digo por la creatividad que tuvo el grupito de los *nerds* que muy ingeniosa e inteligentemente me puso "La casa de interés social de los espermatozoides".

Qué lástima que no existen prótesis intercambiables para los testículos, porque de existir me divertiría mucho cambiándomelas según la ocasión:

1 Una calabaza color naranja (con todo y sonrisa, por supuesto) para Halloween. Puedo deleitar con un *trick or treat* al mismo tiempo… O hasta puedo instituir el *touch and go.* Maldita tecnología, nunca está al servicio de uno cuando más se le necesita. Y todavía hay quien se pregunta por qué odio Halloween y el Día de Muertos.

2 Para la época navideña una esfera sería lo más apropiado; pero para estar a la moda y hacer juego con los *hermosísimos* cuernos de reno con los que la gente adorna sus coches y camionetas, yo me pondría la nariz roja de Rudolph el reno. ¡Sí! En lugar de poner la bolita roja en la defensa de mi vehículo yo la usaría de prótesis. Aunque al hacerlo corriera peligro de que mi novia pensara que es un chupetón y no un adorno navideño. Y eso de andar por la vida con algo que parece un chupetón en los testículos no sé si sea una buena idea, porque dar explicaciones no es lo mío.

—Mi amor, no te enojes, es la nariz de Rudolph. ¿Dónde está tu espíritu navideño? ¿No que querías que dejara de ser Grinch? Si hago esto es por darte gusto a ti.

—¿Y qué tiene que hacer la nariz de ese reno ¡¡¡en donde deberías tener un testículo!!!? ¿Qué piensas? Que los cuernos me los vas a poner a mí, ¿eh?

Por eso, para evitarme problemas, mejor una esfera muy normalita y redondita de color plateado para que todo lo que se refleje en ella se vea deforme.

3 Muy obvio, pero no por eso lo puedo descartar. Después de la cuaresma y ya entrados en jueves y viernes santos: el huevo de chocolate para festejar pascua en el domingo de resurrección como Dios manda. Si ya hacen calzones de caramelo para que tu pareja se los coma, ¿por qué voy a privar a la mía de que disfrute un buen banquete del mejor chocolate?

4 Y por supuesto que para un evento importante un huevo de Faberge... La elegancia ante todo.

Los doctores no me lo han dicho, pero yo estoy seguro de que mis prácticas sexuales no ortodoxas forman parte de los efectos secundarios de mi accidente deportivo. Estoy seguro de que mis perversiones están relacionadas directamente con el hecho de haber perdido un testículo. De no ser así, no me explico cómo una persona tan normal como yo pueda tener pensamientos y comportamientos tan anormales.

Mi primera novia tenía amomaxia, y en lugar de apoyarla y luchar a su lado, terminé con ella.

Sí, ya sé que uno debe permanecer al lado de sus seres queridos cuando tienen un problema, y más si este problema es grave, pero yo no podía permanecer al lado de alguien que sólo se excita teniendo relaciones sexuales en los automóviles estacionados.

Amomaxia: Excitación sólo al tener sexo dentro de un automóvil estacionado.

¡Qué enfermedad! ¿No te parece? ¡A quién se le ocurre!

Si el automóvil está estacionado no hay peligro, luego entonces no hay excitación. Nunca va a ser lo mismo hacerlo en un automóvil estacionado que en uno en movimiento. ¡Cómo no voy a terminar una relación así! A mí me excita el peligro y me vuelve loco hacer el amor a más de 100 kilómetros por hora, siempre y cuando no sea yo el que va manejando. Prefiero que sea ella la que maneje. Eso aumenta el peligro, porque las mujeres son muy malas para manejar, y nada más de pensar que podemos chocar en cualquier momento me vuelvo multiorgásmico y el placer es todavía mayor.

Sé que a estas alturas del libro pensarás que estoy loco y que soy un enfermo. No te lo puedo rebatir, pero sí considero muy importante decir a mi favor que esta filia o perversión ya no la tengo, de hecho no sé por qué la saqué a colación si hay filias y perversiones mucho más divertidas por las que he pasado a lo largo de mi vida. Por ejemplo, el androidismo.

Androidismo: Excitación con robots y muñecas de aspecto humano.

A lo de los robots nunca quise entrarle. Siempre tuve la sensación de que me podía electrocutar y la imagen de ver mi único testículo todo quemado y chamuscado hizo que me arrepintiera. Y siempre tuve una gran duda: cuando se está íntimamente con un robot, qué lubricante se debe usar: ¿Roshfrans o Quaker State? No es fácil escoger entre uno u otro, ¿verdad? Por eso me aficioné a las muñecas.

Con las muñecas no se corre ningún riesgo, ya que funcionan sin electricidad y están hechas del mismo plástico del que están rellenas algunas mujeres. Y con ellas sucede igual que con las mujeres que están rellenas de plástico: tampoco hablan.

Yo fui muy callado y muy tímido en mi adolescencia, por eso me supe relacionar con ellas de maravilla. No había necesidad de comunicarme. ¿Para qué?

Si llegaba a existir una conversación, yo era el único que hablaba, y así fue como me ahorré durante muchos años el dinero que me daban mis papás para pagar las sesiones con el psiquiatra. Me imaginaba que mi cama era el diván y me iba como hilo de media. Plática y plática y plática acerca de mis problemas, de mis temores, de mis confusiones, de mis amores, y además lo hacía con una facilidad asombrosa. En cambio con el psiquiatra siempre me costaba mucho más trabajo hablar y lo que sí me parecía innecesario era desnudarme antes de acostarme en su diván. La primera vez que lo hice, el pobre se quedó con la boca totalmente abierta en forma de "O" y por poco lo confundo con una de mis muñecas de plástico.

Las muñecas de plástico fueron mi gran compañía hasta que me di cuenta de que necesitaba una mujer de verdad. Una mujer de la que me pudiera enamorar, de la que pudiera aprender, con la que pudiera compartir y viajar, y sobre todo una mujer con la que pudiera practicar la asfixiofilia.

asfixiofilia (estrangulación erótica): el estímulo es estrangular, asfixiar o ahogar a la pareja durante el acto sexual, con su consentimiento y sin llegar a matarla.

Recuerda que el estímulo es estrangular a tu pareja sin llegar a matarla, y lo de "sin llegar a matarla" es muy importante, porque si lo haces estarías practicando otra filia: la necrofilia; es decir, sexo con un muerto, y a eso sí de verdad yo no le entro. ¡Qué asco! El olor no te deja concentrar y terminas por no terminar, y si uno no termina debe buscar alguna otra manera de poder hacerlo, y a una persona muerta no se le puede pedir sexo oral, así es que no olvides por qué al practicar la asfixiofilia es muy importante no matar a tu pareja. Asfíxiala, pero con moderación.

Sólo conozco a un ser vivo que practica la necrofilia: ¡La mantis religiosa!

La mantis religiosa macho no puede copular mientras tenga la cabeza unida a su cuerpo. La hembra inicia el acto sexual arrancándole la cabeza al macho. Lo vi en el Discovery Channel...

Lo que no vi en el Discovery Channel es si las mantis religiosas tienen perversiones como nosotros... O como yo.

¿Cómo serían las perversiones de las mantis religiosas?

Dejarle la cabeza en su lugar al macho para (y aquí entra la perversión) que sientan que no lo están haciendo con un decapitado sino con alguien normal... ¿No?

—Sí, comadre, y ¿qué cree? Que justo antes del orgasmo que le vuelvo a poner la cabeza en su lugar... Sí, así soy yo... ¡Bien perversota!

Y las que le entran a la onda del trío podrían intercambiar las cabezas de sus víctimas.

Eso del *golden shower* ya no tendría el mismo efecto... El macho no lo sentiría... Y decir palabras obscenas por parte de él, ¡¡¡ni hablar!!!

¿Te imaginas que se nos hubiera dicho en clase de orientación sexual a los hombres que debemos ser decapitados para poder tener relaciones sexuales? Todo se quedaría en los preliminares, ¿no? Y aquí el acomoclitismo ya no tendría mucha razón de ser.

acomoclitismo: Excitación por los genitales depilados.

Yo me excito muchísimo con los genitales depilados... Y por lógica me "desexcito" con los genitales normales o peludos o bombachos o pachones... Qué cada quien le diga como quiera. Total, quién soy yo para hablar de pelos.

Supongo que esto de podarse el vello púbico nos viene de tanto ver películas pornográficas... Como mi generación creció sin ningún tipo de comunicación con sus padres, pues nuestro primer acercamiento al sexo han sido, son y serán las películas pornográficas... Y ni qué decir de las *sex shops*. Y de las leyendas urbanas...

¿Has oído la leyenda urbana del cerdo?

Ésta dice que los cerdos (y hablo de los animales de la granja, no de los que visten sotana y niegan las acusaciones de pedofilia) tienen orgasmos de 30 minutos. ¡Orgasmos de 30 minutos! Yo sabía que ser sucio tiene su recompensa.

Nunca lo he visto y en el Discovery Channel todavía no han dicho nada al respecto. Lo que sí he visto es a los perros quedarse pegados... Además de divertido resulta muy angustiante, ¿no? Si a nosotros nos pasara eso y también nos pasara lo del cerdo, literalmente nos la pasaríamos cogiendo toda la vida.

Entre los prepreliminares (es decir la cena, el vino, las miradas, etc.), los preliminares (besos, caricias y jugueteos), el "acto", el orgasmo de los 30 minutos y el quedarnos pegados... y si al quedarnos pegados nos volvemos a poner cachondos y se nos antoja un segundo "acto" o un "tercero", seguramente terminaríamos perdiendo la cabeza por el sexo, igual que la mantis religiosa.

Aunque eso de quedarse pegados también tiene sus desventajas, porque ¿qué tal que fue el peor sexo de toda tu vida? ¿Qué tal que estás siéndole infiel a tu pareja y se le ocurre llegar a la casa antes de lo previsto? ¿Cómo le haces para esconder a tu amante? Y si tú eres el amante, ¿cómo le haces para esconderte si estás pegado? Y si tu orgasmo va por el minuto 17 (en caso de que seas cerdo), ¿cómo le haces para detenerlo? ¿Has podido detener un orgasmo de 10 segundos? Si los hombres pudieran detener sus orgasmos no existiría la eyaculación precoz...

Puedes dejar de comer, de beber, de dormir y hasta puedes detener por varios segundos "la orina", pero ¿cuándo has podido detener un orgasmo? Yo jamás... y mira que lo he intentado. (Afortunadamente ya existe la píldora del día siguiente.)

¿A poco nunca te habías puesto a pensar en todo esto?

¿Cuáles son las cuatro palabras que no te gustaría oír cuando estás haciendo el amor?...

"Mi amor, ya llegué".

Cuando tu pareja te encuentra en la cama con alguien más, ¿qué le dices?

—Mi amor, no es lo que te imaginas.

¿No es lo que te imaginas? En serio, ¿puede haber algo más estúpido para tratar de justificarnos?

Te encuentran en la cama con alguien más y sólo se te ocurre repetir lo mismo que se dice en todas las películas: "No es lo que te imaginas".

Si vas a decir una pendejada, pues por lo menos hay que ser creativo e irónico, ¿no?

Algo más o menos así:

- Sí, la verdad sí estamos teniendo sexo, pero por favor no vayas a pensar que estoy involucrando mis sentimientos. Pensé en masturbarme, pero ¿para qué regresar a la adolescencia? Luego te quejas de que soy un inmaduro... Ella sólo está ayudándome a no desperdiciar la erección con la que amanecí esta mañana.

- ¿No te da gusto saber que tu esposo no sufre de disfunción eréctil? Deberías sentirte orgullosa de mí.
- Ya casi termino, ¿puedes cerrar la puerta cuando salgas? Prometo no molestar a la sirvienta, y yo hago la cama después de terminar... Tú no te preocupes por nada y relájate.
- Gracias por tu comprensión, mi amor... No se te olvide que hoy cenamos con mi mamá.

Otras veces decimos otra gran frase que también dicen en las películas: "Mi amor, no es lo que estás pensando".

Lo que me hace intuir que cuando se trata de sexo y lo estamos haciendo con alguien que no es nuestra pareja y somos descubiertos, todos tenemos la capacidad de leer la mente. ¡Todos!

—Mi amor, no es lo que estás pensando.

Los seres humanos hemos sido programados para decir incoherencias en un momento desafortunado. Y una vez que ya abriste la boca para ser incoherente, parece que el universo conspira para que no te detengas...

—Yo puedo explicártelo todo.

Y ¿qué hay que explicar? ¿Cómo funcionan los juguetes que están tirados por todo el cuarto? ¿Cuánto duró el previo? ¿Las posiciones que han practicado?

—Mi amor, no es lo que te imaginas, de verdad no es lo que estás pensando. Puedo explicártelo todo...

¿Qué podría seguir después de esto?:

—No eres tú, soy yo. Estoy pasando por un momento egoísta. No puedo tener una relación seria en estos momentos. Estoy confundido. Necesito tiempo para pensar las cosas. De verdad, no eres tú, soy yo.

Debo reconocer que ahora que tengo 40 años mis perversiones han ido madurando al igual que yo. El androidismo y la asfixiofilia han quedado en el pasado, al igual que la leyenda urbana del orgasmo del cerdo, y hoy presumo de disfrutar plenamente del *ballooning*.

Ballooning: Placer sexual que se obtiene sólo al ver mujeres inflando globos, estirándolos y jugando con ellos.

Esta perversión la verdad no le hace daño a nadie y a mí me permite tener la fantasía de que las mujeres están jugando con algo que perdí hace muchos años en un partido de futbol.

Antes de que me juzgues y salgas a gritarle
al mundo que soy un pervertido, déjame aclararte
que pervertido no soy, de verdad no soy un
pervertido, pero sí soy perverso, muy perverso.
Hay una gran diferencia entre una y otra.
Así es que si quieres gritarle al mundo que estoy
loco y que mi mente está torcida y que soy un
perverso, no me opongo. De hecho me encantaría
que lo hicieras...
Y ya para terminar con este tema: creo que es de
suma importancia que te deje muy clara
la diferencia entre un perverso y un pervertido.
El perverso usa una pluma para hacerle
cosquillas a su pareja, y el pervertido hace lo mismo,
pero con la gallina completa...
¿Está claro?

DISFUNCIONES
SEXUALES Y MENTALES

Sufro de varias disfunciones sexuales y estoy seguro de que uno de los culpables es internet.

Y cómo no va a tener la culpa internet si cada vez que una mujer me enseña sus *emoticons* en el *messenger* mi disco duro termina de manera muy veloz todas sus funciones. De inmediato mi sistema operativo se apaga y tarda mucho en volver a reiniciar. A mi edad ya no puedo estar actualizando mi software cada vez que me den ganas de chatear. Y con eso de los virus tampoco puedo andar metiendo mi USB en cualquier puerto.

Conocí a una mujer muy coqueta a la que le encantaba presumirme su ortografía para ver si me animaba a darle un *megabyte*. ¿Qué? Uno tiene derecho de hacer con su vida cibernética lo que le dé la gana siempre y cuando se use protector de pantalla, ¿no?

Lo que sí es un hecho es que cuando conozco a una que no tiene un procesador inteligente cierro la sesión o me hago güey y me pongo en reposo.

Seguramente ya empezaste a leerme raro otra vez, ¿verdad? Léeme raro si te digo que la única manera de acabar con mi anorgasmia es experimentando la dendrofilia.

La **anorgasmia** es la inhibición recurrente y persistente del orgasmo y la **dendrofilia** es la excitación que sólo se produce al frotarse contra los árboles.

Anorgasmia sí tengo, lo acepto, pero fue un error que me diagnosticaran con dendrofilia. Una cosa es abrazar a un árbol para cargarte de su energía y otra muy diferente es que me guste frotar mis genitales en los troncos de los sauces y de los cerezos para conseguir un orgasmo. No necesito andarme entre las ramas para esconder mi anorgasmia porque esta disfunción sexual es tratable y en 95% de los casos también es curable. Su tratamiento va encaminado a eliminar las actitudes negativas y los prejuicios en torno a la sexualidad en general y al orgasmo en particular.

La anorgasmia puede darse después de vivir un evento desafortunado, como el adulterio.

¿Adulterio? Qué palabra más extraña, ¿no? Y mucho más extraño su significado. Lee nada más lo que significa: "Ayuntamiento carnal voluntario entre una persona casada y otra de distinto sexo que no sea su cónyuge".

¿Te das cuenta de que todos hemos vivido en un error? Los que gozan siendo infieles no han estado teniendo una aventura, ¡no, señor! Y mucho menos han provocado un evento desafortunado, sino que han estado teniendo un "ayuntamiento carnal voluntario"; bueno, no todos, porque para poder tener un "ayuntamiento carnal voluntario" se necesita estar casado, si no, lo único que estás haciendo es poniendo los cuernos o teniendo sexo con alguien que no es tu pareja; en cambio, cuando ya se es adulto, la infidelidad puede evolucionar y convertirse en un "ayuntamiento carnal voluntario".

De ahora en adelante ésta será la manera correcta de romancear con aquella persona que no sea tu esposa/o.

—Mi amor, me vuelven loco tus ojos, tus labios, tus piernas, tu pelo, tu espalda, y no sabes cuánto deseo tener un ayuntamiento carnal voluntario contigo...

Una vez más, para que nos quede claro a ti y a mí:

El significado de la palabra *adulterio* es: "Ayuntamiento carnal voluntario entre una persona casada y otra de distinto sexo que no sea su cónyuge".

¿Otra de distinto sexo que no sea su cónyuge? A ver: si el ayuntamiento carnal voluntario es con alguien del mismo sexo que no sea el cónyuge, ¿ya no está considerado como un ayuntamiento carnal voluntario?

¿Qué pasa si el ayuntamiento se tiene carnal y voluntariamente con alguien del mismo sexo?

Seguramente es considerado como un acto despreciable y aberrante que sólo merece el divorcio y que el responsable sea señalado y juzgado para toda la vida... siempre y cuando se trate de dos hombres, porque si se trata de dos mujeres las cosas cambian radicalmente, y en lugar de ser un acto despreciable y aberrante se transforma en un acto erótico, hermoso, cachondo, divertido, sensual, moderno. Y en lugar de crucificar a la esposa se le anima a seguir adelante con el ayuntamiento carnal voluntario con alguien del mismo sexo argumentando que eso es lo que necesitaba su relación, defendiendo que por el simple hecho de dar ella rienda suelta a su sexualidad la relación va a evolucionar.

—Verónica, mi amor, tú sigue acostándote con Catalina. Es muy importante que vivas tu sexualidad al máximo y sobre todo es esencial que pruebes de todo.

¿Por qué es sensualidad pura ver a dos mujeres besándose y repulsión absoluta cuando se trata de dos hombres?

¿Qué pensarías si te digo que hace 13 años tuve una novia que tenía el deseo sexual completamente inhibido?

¡Tenía anafrodisia!

La **anafrodisia** es una inhibición de la excitación en general. Se presenta tanto en los hombres como en las mujeres por una falta de sentimientos eróticos, siendo para las mujeres la relación sexual un castigo. La anafrodisia provoca insatisfacción y depresión, y quien la padece busca constantemente excusas para evitar una relación sexual. Las causas son fundamentalmente de origen psicológico: negación al éxito, al placer y al amor; miedo al rechazo por parte del compañero, dificultades para manifestar los deseos sexuales, conflictos, etcétera.

Entiendo que aquella novia no tuviera sentimientos eróticos, pero ésa no es razón para que me obligara a practicar con ella axilismo. Era axilismo o nada.

El **axilismo** es la masturbación dentro de la axila de la pareja. ¿Te imaginas? Por supuesto que me negué... Aunque te confieso que cuando la vi poniéndose lubricante en lugar de desodorante estuve a punto de cambiar de opinión, pero afortunadamente la vida me dio una gran claridad para pensar bien las cosas y terminé con ella: la loca quería que me pusiera condón.

A estas alturas del libro sobra decirte que soy divorciado, ¿cierto? Y la verdad no sé por qué, si mi esposa y yo teníamos sexo casi todos los días de todas las semanas. ¡En serio! Sexo casi todos los días.

Casi lo teníamos el lunes, casi lo teníamos el martes, casi lo teníamos el miércoles...

¿Quieres que te diga quién tiene la culpa de que las relaciones estén como están?

¡Disney!

Disney de hecho tiene la culpa de varios traumas que padecemos desde niños.

De niño, mi película favorita era *Peter Pan* y hasta la fecha lo sigue siendo. Mis parejas siempre han estado de acuerdo en que yo sufro del síndrome de Peter Pan. Nunca se los he discutido y tampoco lo voy a discutir contigo, pero te confieso que a veces mi sombra hace lo que le da la gana y a mí me da por ponerme mallas y observar por la ventana cómo duermen las colegialas (el lector debe saber que a raíz de caérmele a mi mamá de la carriola varias veces, no soy nada convencional).

Pero ése no es el punto. El punto es que este cuento tiene una gran perversión.

¿Quién está enamorado de Peter Pan? ¿Quién? ¡Campanita! ¿Y eso no se te hace de lo más asqueroso y de lo más perverso y abominable?

Perdóname, pero yo no me veo teniendo relaciones sexuales con una libélula.

Y no es que sea muy moralista, pero ¿te imaginas que la libélula también diga que la tengo chiquita? ¿Y que encima de todo se burle porque sólo tengo un güevo?

Uno tiene que saber muy bien con quién se mete. Yo no quiero que entre las libélulas empiece a correr el rumor de que mi pene no es masculino sino femenino.

¿Te acuerdas de que en la escuela nos lo enseñaron?

A mí nunca se me ha olvidado eso desde que en clases de educación sexual en sexto de primaria nos dijeron:

—Niños, pongan atención: el pene es el nombre que se le da al órgano reproductor del hombre. Pe-ne. Y éste puede ser masculino o femenino. Si mide más de 12 centímetros, es pene, y si mide menos de 12 centímetros... ¡es una pena!

Analiza lo que te acabo de decir.

No, no lo del pene, lo de Disney. Lo del pene no tiene análisis (por el momento). En cambio de Disney sí hay mucho que analizar.

Antes de que existiera Disney, no había divorcios... Pero Disney con sus películas les metió la idea a todas las mujeres de que son princesas y de que como tales merecen un príncipe.

Sí, de acuerdo: todas las mujeres son unas princesas (cuando mi mamá lea esto se va a sentir muy orgullosa de mí).

Tengo una pregunta para todas las princesas (sí, me refiero a todas las mujeres): ¿de verdad nunca se dieron cuenta de que en sus películas todos los príncipes son unos idiotas? ¡Y muy poco hombres!

Para empezar: ¡USABAN MALLAS!

Se atrevían a besar a las princesas cuando éstas se encontraban muertas o en coma. ¡Qué machitos!

Y todo lo decían cantando y bailando. Nunca he intentado conquistar a una mujer cantando ópera y bailando de puntitas, pero dudo mucho que de hacerlo logre llamar su atención.

La historia del cuento de hadas está torcida desde su concepción. Las mujeres esperan la llegada de un príncipe y nosotros nos la pasamos toda la vida esperando a ver a qué hora muerden la manzana o se pinchan el dedo para quedarse dormidas y podernos ir de cabrones con nuestros amigos. Irnos de cabrones no necesariamente significa que nos vayamos de putas, ¿eh? Nunca me ha gustado pagar por tener sexo y que no me guste pagar por tener sexo no significa que no sepa apreciar a una mujer con "furor uterino". Me encantan las mujeres que viven su sexualidad sin culpas, sin miedos... Y juro por lo más sagrado que si llego a conocer a una mujer que tenga amelotasis, me caso con ella y la contagio de somnofilia.

Amelotasis es la atracción sexual hacia personas con ausencia de algún miembro... nunca una mujer ha sentido atracción por la ausencia de mi miembro izquierdo y dudo mucho que mi calvicie pueda entrar en el departamento de miembros ausentes.

somnofilia es acariciar y realizar sexo oral a una persona dormida hasta despertarla... ¡Mil veces mejor que cualquier alarma y reloj despertador! Así sí dan ganas de levantarse y de ir a trabajar horas extras.

¿Sabes por qué es más rápido el psicoanálisis para los hombres que para las mujeres?

Cuando hay que regresar a la infancia, a los hombres no nos cuesta ningún trabajo hacerlo, siempre hemos estado ahí...

Un pequeño y frívolo ejemplo:

A todos los hombres nos parece que Superman es gay porque usa una capita y botitas rojas, y sobre todo por no usar su visión de rayos X para ver encuerada a Luisa Lane o a cualquier otra mujer.

Aprovechar la visión de rayos X para ver a las mujeres desnudas no es una cuestión de ética, sino de hombría...

No conozco a ningún hombre que se tape los ojos cuando frente a él está una mujer completamente desnuda, y Superman, teniendo la posibilidad de hacerlo... qué digo la posibilidad, la obligación, no lo hace. ¿Por qué? ¡Por puto!

Si me dieran a escoger un superpoder, yo sería invisible, pero si no pudiera obtener la invisibilidad, el único superpoder que se me ocurre tener es la visión de rayos X de Superman. Para mí sí es muy ético utilizarlo y ver sin ropa a cualquier mujer que me guste... y que no me guste. ¿Qué tal que vestida no se ve igual?

La ropa puede ser engañosa, y uno se podría estar perdiendo de algo muy bueno. Y hablando de ropa, la única razón por la que a los hombres nos gusta que las mujeres se vistan con ropa de cuero es porque huelen a coche nuevo... no porque se vean *sexies*. (Este último comentario es un claro ejemplo de que los hombres no somos príncipes sino cavernícolas.)

Ya sé que Batman no tiene ningún superpoder, pero es el superhéroe que más me gusta... Para empezar, tiene un carrazo y una moto de poca madre... Además eso de tener mayordomo da mucho caché. Es como ser Mauricio Garcés pero *reloaded*. ¡Arroz!

¿Qué se le da a un hombre que ya lo tiene todo?
¡PENICILINA!

EL SEXO
ES SEXISTA

Quiero exaltar el par de güevos que tiene Ana Gabriela Guevara. Siempre lo dije: esa tía, es tío (fui educado por mi abuelita que era española). Y no porque le falte el toque femenino sino porque es valiente, inteligente, echada pa'lante, dice lo que piensa, no se deja, es luchona, ha puesto el nombre de México en lo más alto, es la atleta mexicana que más ha ganado y creo que pasarán muchos años y muchos ciclos olímpicos para que una mujer vuelva a lograr lo que ella logró.

Qué fácil decir que se retiró porque no hubiera logrado una medalla en los juegos olímpicos de Pekín (me niego a escribir "Beijing").

Seguramente no la hubiera logrado, el cuerpo humano no es una máquina y la edad no perdona. Pero sacrificar tu vocación para señalar errores, trampas, robos e ineptitudes es un acto que hay que aplaudir. ¡Qué par de güevos más grandes tienes, Ana! ¡Y qué bíceps! ¡Qué cuadriceps! ¡Qué pantorrillas! Tienes más testosterona que yo.

Y ya que estoy dando muestras de macho alfa o de sexista, quiero decir y afirmar que el sexo es sexista.

S-E-X-I-S-T-A.

Si una mujer en el sexo corre a la velocidad de Ana Gabriela Guevara y llega demasiado rápido a la meta, es decir, si tiene un orgasmo a esa velocidad, los hombres somos dioses sexuales, se nos cantan himnos, se nos escriben canciones, se nos hacen homenajes. Se dice que una mujer que pasa por esto es una mujer muy satisfecha y está muy bien cogida.

¿Pero qué pasa si un hombre corre a la velocidad de Ana Gabriela Guevara y llega a la meta por debajo de la marca de los 50 segundos?

Se nos tacha de poco hombres, no servimos, nos falta testosterona, somos mariquitas, y dioses de la eyaculación precoz.

La mujer que tiene una relación así, siempre estará insatisfecha. Lo dicho: el sexo es sexista.

Por eso hay que ser prevenido... No, ¡mejor no!

Alguien pre-venido es un eyaculador precoz. Lo mejor es ser precavido, muy precavido y complacer al máximo a nuestra pareja (o a nuestra muñeca).

Una novia leyó en una revista "para mujeres" que las parejas deben jugar a no ser ellos de vez en cuando para romper la rutina y darle emoción a la relación.

Me dijo:

—Héctor, ¿qué te parece si jugamos a que no somos nosotros?

Y yo, que soy un perverso y me gusta cumplir siempre mis fantasías sexuales y probar nuevas tácticas, técnicas, lo último en juguetes sexuales y todas las posiciones del Kamasutra, le contesté:

—¿Qué te pasa? ¿Estás loca?

—¡Ay, ándale! Yo siempre veo tu futbol los domingos y

veo contigo todos los programas deportivos, y tú nunca quieres hacer lo que yo te pido...

Como nunca me ha gustado ver a una mujer llorar, acepté.

—Te voy a dar tres diferentes opciones para que escojas:

"Uno. Eres un repartidor de pizzas, yo te abro la puerta completamente desnuda, me entregas la pizza, te seduzco y te hago el amor salvajemente."

—¿Y eso te parece sensual? Pero si todos los repartidores de pizzas son eyaculadores precoces, mi amor. Acuérdate de que los obligan a llegar antes de media hora.

—Dos. Yo soy doctora y vienes para que te haga tu chequeo anual.

—¿Cuántas veces te he dicho que por ahí no me gusta que me hagas nada?

—Anual, Héctor, anual.

"Y la tercera: podemos jugar a que somos dos celebridades. Tú eres Vicente y yo Martita."

—¿Qué tiene de sexy y de perverso hacernos pasar por un par de idiotas? Además, si jugamos a que somos ellos, lo último que haríamos sería tener relaciones sexuales, ¿no? Lo que sí me gustaría de ser ellos es pretender que somos del *jet set* mexicano. De verdad es una lástima que no tenga ni un solo par de botas y que tú no tengas hijos corruptos y hables como mensa, porque ya me estaba empezando a excitar la idea (el lector debe recordar que soy un perfecto anormal).

No tuve otra opción que hacerme pasar por repartidor de pizzas.

Por cierto, Arnoldo el de las pizzas, si me estás leyendo aprovecho para agradecerte que me hayas prestado tu uniforme y te pido que ya no estés enojado por lo de los latigazos, las esposas, la vendas en los ojos y la mermelada de frambuesa que te embarramos. Para la próxima te prometo que sí habrá de chabacano. ¡Cómo íbamos a saber que eres alérgico a la frambuesa!

Eso de complacer al máximo a nuestra pareja tiene sus ventajas y sus desventajas. Y hasta en eso el sexo es sexista. Sí, porque el hombre siempre tiene que poder, y no sólo tiene que poder, sino que además debe complacer. Por eso yo me pinto de azul. Sí, de azul, como el color de la pastillita más famosa del mundo: el viagra.

Hoy que ya tengo 40 años debo aceptar que de pronto no se puede. No se puede y entonces antes de que la otra parte me diga la ya tan sobada frase de "sí se puede", "sí se puede", yo invoco a Obama y le digo a mi pareja: "Yes, we can"... y me pinto de azul (Obama, te juro que me pintaría de negro, pero ¿qué quieres? La pastillita es azul).

En las instrucciones de la pastillita azul te explican que existen cuatro grados de erección. ¡Cuatro grados de erección! (Y yo que pensaba que de mi pene ya lo sabía todo.)

En el grado 1 el pene está más grande, pero no duro.

Yo siempre le llamé a este proceso "ya se me está parando"... No se necesita ser científico para llegar a esa conclusión, ¿o sí?

En el grado 2 el pene está duro, pero no lo suficiente como para una penetración.

A esta etapa la conocía como el momento perfecto para convencer a tu novia de que lo que te hacía falta era que te ayudara a que se te parara bien... Y obviamente la intención era que te practicara sexo oral...

Y como dice Woody Allen, ¿no es curioso que se le llame sexo oral a la práctica sexual en la que menos se puede hablar? A menos que seas ventrílocuo, pero eso todavía no me sale y tampoco es un impedimento para que lo siga practicando (me refiero al sexo oral, no a la ventriloquía).

En el grado 3 el pene está duro para una penetración, pero no lo suficientemente duro.

O sea, ¿cómo? ¿Ya está duro, pero no lo suficientemente duro? En esta etapa hay que tener mucho cuidado de no matar la pasión. Imagínense diciéndole a su novia:

—Espérame tantito, ya lo tengo duro para penetrarte, pero no lo suficientemente duro.

Está en 3.6. ¿Eso subirá automáticamente a 4? ¿No es como en las calificaciones de la escuela?

Si la mujer es estrecha, la etapa 3 es la que más le conviene.

Y finalmente en el grado 4 el pene está duro, firme y completamente rígido.

A esa etapa siempre le he dicho: ya se me paró. ¿En dónde está la ciencia?

Si vas a usar condón, ésta es la etapa en la que debes ponértelo. Puede sonar estúpido que te lo diga, pero es lo que dice en las instrucciones de las cajas de condones:

"No intente colocar el condón mientras el pene está blando; espere hasta que el pene esté completamente en erección."

¿De verdad hay quien se ponga un condón cuando el pene está blando?

Y ésta no es la única instrucción estúpida en la caja de los condones. Hay otras muy divertidas:

"No use aceite grasoso, lociones o vaselina para lubricar el condón. Esas sustancias pueden romperlo. Use solamente crema o jalea."

Pero no dice de qué sabor puede ser la jalea y si la crema debe ser deslactosada.

"Concluido el acto sexual, retire el pene junto con el condón completamente de la vagina lo más rápido posible."

¿Lo más rápido posible? Lo hacen sonar como si de verdad corrieras un grave peligro, ¿no?

—Mi amor, ya terminé (¿existe un peor término que éste para decir que tuviste un orgasmo?); no te muevas, tengo que retirarme de tu vagina lo más rápido posible... No, mi amor, lo siento, no puedo dejártelo. El condón se viene conmigo.

"Quítese el condón sin derramar el líquido (semen) que está dentro."

Supongo que ponen "semen" entre paréntesis porque habrá quienes no sepan que así se llama, pero lo que sí habría que especificar es si al derramar el líquido en la alfombra o en el piso se corre algún tipo de peligro. Porque puedo imaginarme a varios "usuarios" golpeando con el zapato las gotas de líquido derramado para acabar con cualquier tipo de vida que se encuentre en ellas. No vaya a ser la de malas y los espermas se vayan arrastrando del piso al útero, ¿verdad?

Para mí era muy importante que mi hija
aprendiera acerca del valor del dinero, así es
que hablé con ella para que lo entendiera...
Ahora quiere que le dé su domingo en ¡euros!

MI PENE Y YO
SOMOS INSEPARABLES

Mi pene y yo tenemos una gran comunicación...

Lo nuestro es para toda la vida, por eso siempre hemos estado muy unidos. Aunque debo admitir que de vez en cuando nuestra manera de relacionarnos puede llegar a ser un tanto disfuncional.

Me considero un hombre afortunado y por lo mismo tuve la suerte de haber nacido con un pene vidente.

Sí, leíste bien: vi-den-te. Tengo un pene vidente.

Los niños de hoy nacen con un chip diferente que supuestamente los hace estar muy adelantados, ¿no?

Ah, pues yo nací con un pene que puede ver el futuro.

Sabe de antemano qué relación va a funcionar y qué relación será destructiva. Qué manera más original de no ser codependiente, ¿no?

Por ejemplo: si presiente que la relación que está a punto de tener será destructiva, no le entra, y con esa actitud provoca que me aleje para siempre de esa persona. (Aquí entre nos: siempre he pensado que la que se aleja es ella y no yo.)

Ésa es nuestra manera tan personal de comunicarnos. Telepáticamente yo escucho que me dice:

—Gomís, la cosa no es por ahí, vamos a sufrir. ¡Hazme caso!

En cambio, cuando siente (es muy sensible) que vamos por buen camino, no sólo se crece sino que también se luce. Siempre fue muy vanidoso, pero en su favor debo decir que el mío no es un pene convencional. Le gusta la buena vida, y cuando no conoce a la persona por lo general se protege y no se comporta de manera natural.

Muchos de mis amigos hablan de su pene como si estuvieran hablando de otra persona, lo cual me parece terrible y de muy mal gusto. Ni los penes ni los perros deben tener nombres de personas. Yo no me refiero al mío ni como Juan, ni como Pedro, ni como ninguno de los otros 10 apóstoles. De hecho, cuando platicamos nunca lo he llamado por ningún nombre, sino que miro hacia abajo y platicamos telepáticamente. Digamos que la relación entre mi pene y yo, además de ser muy unida, también es muy esotérica.

(Pensándolo bien, no estaría mal ponerle un nombre de persona a mi pene. No quiero que 90% de mis decisiones sean tomadas por un extraño.)

Llevo ya muchos meses pensándolo y el día de mañana, cuando mi pene se sienta cansado y le cueste trabajo levantarse para ir a trabajar, yo no lo voy a presionar y mucho menos lo voy a obligar a hacer algo que él ya no puede hacer.

Dicen que hombre precavido vale por dos, por eso ya tengo toda la información con respecto a la prótesis de pene. Y no es que desconfíe de las pastillas, pero yo no tengo paciencia sexual y sin duda alguna es mucho más rápido y cómodo apretar un botón para funcionar al instante que tomarte una pastilla y esperar una hora.

prótesis de pene

El único objetivo de la prótesis peneana es dar rigidez al órgano para poder mantener relaciones sexuales satisfactorias, no influyendo sobre la libido (deseo), la eyaculación y el orgasmo, en caso de que éstos se hallen alterados.

Ustedes preocúpense por darle rigidez al órgano y yo me encargo de que la libido y la eyaculación no se alteren. Yo mantengo tranquilos mis estados sexuales siempre y cuando la prótesis funcione.

El implante de una prótesis de pene constituye un verdadero éxito terapéutico cuando está correctamente indicado después de realizar el estudio diagnóstico y valorar los diferentes aspectos, orgánicos y/o psicológicos y de pareja, que concurren en la disfunción eréctil del paciente.

En líneas generales, la prótesis de pene está indicada en los individuos afectos de alteraciones orgánicas, sin posibilidad de realizar otro tipo de tratamientos y cuando han fracasado éstos.

Les juro que orgánica y psicológicamente he fracasado. ¡Lo que necesito es firmeza!

Las prótesis son dos tubos que se colocan en los cuerpos cavernosos que pueden estar conectados o no a dispositivos hidráulicos según el tipo de prótesis:

prótesis flexibles: se flexionan al aplicarles una presión, y al cesar ésta recuperan su posición inicial.

prótesis maleables: disponen en su interior de un tutor de metal, lo que permite incurvar la prótesis a voluntad.

prótesis hidráulicas: con reservorio y sistema de bombeo en el cilindro. Con reservorio y sistema independiente. Con reservorio y sistema de bombeo integrado.

Para seguir siendo precavido la quiero con sistema de bombeo integrado. ¿Qué tal que un día no tengo ganas? Nomás aprieto el botón y mi prótesis de manera integral se pone a bombear mientras yo veo la tele.

—Héctor, háblame sucio... Ya sabes que me encanta que me hables sucio.

—¡Te voy a incurvar mi prótesis a voluntad! ¿Sientes los dispositivos hidráulicos?

elección de la prótesis

Si el diagnóstico de la disfunción eréctil nos lleva a la conclusión de que el único y mejor procedimiento es la utilización de una prótesis, se procede a elegir la misma:

Se enseña a la pareja las distintas prótesis, para que se familiarice con su manejo y pueda elegir.

—Jefe, necesito salir temprano porque hoy mi esposa y yo vamos a elegir el pene que más nos conviene. Es bien importante que me familiarice con mi pene nuevo para poder manejarlo de manera adecuada.

Se le explica que el único objetivo de la prótesis es dotar al pene de rigidez.

Uy... No saben la propina que soy capaz de darles si me dan la dotación completa...

Se informa que la aparición de nuevas prótesis hidráulicas persiguen el objetivo de una flacidez más próxima a la fisiológica, mientras que las flexibles o maleables mantienen siempre el mismo grado de rigidez.

Eso de andar poniendo palabras como *flacidez* no es nada comercial. Yo fui suyo desde que leí la palabra *rigidez*.

Debemos tener en cuenta la edad del paciente, patologías asociadas, fibrosis peneanas, presencia de prótesis previas, etcétera.

técnica quirúrgica

La técnica quirúrgica varía según el paciente, las patologías asociadas y el tipo de prótesis a implantar.

periodo posoperatorio

A las 24 horas de efectuado el implante el paciente es dado de alta, pero debe continuar con tratamiento antibiótico y antiinflamatorio durante 12 días.

¿Qué pasa si no me tomo los medicamentos antiinflamatorios? ¿Mato dos pájaros de un tiro? Es decir, ¿voy a tenerla parada e inflamada al mismo tiempo?

Inicio de las relaciones sexuales

El paciente puede iniciar sus relaciones sexuales a los 30 días de operado y el periodo de adaptación a la prótesis es de dos a tres meses.

¿Qué quieren decir con eso de "periodo de adaptación a la prótesis en dos o tres meses"? Hay parejas que se tardan más que eso en adaptarse entre ellos. Si no me adapto a la prótesis, ¿habrá posibilidad de algún tipo de devolución? Supongo que siempre y cuando no se haya estrenado, ¿verdad? Ya ves que las políticas de los aparatos tecnológicos de hoy en día son muy estrictas.

Las prótesis de pene son, por el momento, una solución muy buena para las disfunciones eréctiles no tributarias de otros tratamientos. Aumentan la calidad de vida y de la relación de pareja. En nuestra experiencia alcanzamos 98% de éxito.

Ahora sólo me falta encontrar una pareja, padecer disfunción eréctil y pertenecer al 98% de exitosos pacientes impacientes. Ya hasta estoy pensando muy seriamente que quiero tener disfunción eréctil.

El primer recuerdo que tengo de mi infancia
es con mi mamá. Tengo cinco años y los dos
estamos sentados en la mesa de la cocina.
Yo pongo mucha atención porque ella me está
enseñando a hacer la tarea que me dejaron en
el kínder. Con mucho cuidado toma unas tijeras
y recorta las letras del periódico. Algunas son las
mayúsculas, otras son las minúsculas y con ellas
forma palabras que después pega con resistol en
mi cuaderno. Cada vez que me dejaban tarea, ella
la hacía por mí. Yo sólo iba por las tijeras
y por el resistol y me sentaba a su lado para
ver cómo recortaba ella.
Y cuando mi mamá no estaba, lo único que yo hacía
era oler el resistol.

DIEZ COSAS MUY SIMPLES QUE NOS HAN ENSEÑADO LOS GRINGOS EN SUS PELÍCULAS DE HOLLYWOOD

1 A todos los coches les urge ir al taller para que les hagan alineación y balanceo. Cuando los personajes manejan en una recta no dejan de mover el volante de izquierda a derecha y de derecha a izquierda.

2 Los policías sólo resuelven los casos cuando les quitan la placa.

3 En las cajetillas de cerillos están escondidas las mejores pistas.

4 Vayan a donde vayan, los personajes siempre encuentran el mejor lugar para estacionarse. Y generalmente es en la puerta del edificio que visitan.

5 En una película de guerra, el soldado que enseña la foto de su novia será siempre el primero en morirse.

6 Las viejas canciones de *rock and roll* son candidatas perfectas para títulos de películas modernas: "Pretty Woman", "Stand by Me", "Can't Buy Me Love", "My Girl", "Lean on Me", "When a Man Loves a Woman", "Only You"...

7 Si alguien confiesa su amor en la última escena siempre habrá una multitud de curiosos que ha dejado de

hacer lo que estaba haciendo para aplaudirles y ponerse a bailar y cantar junto con ellos.

8 El fin del mundo siempre empieza en Nueva York porque todos los meteoritos que existen en nuestro sistema solar están programados para caer solamente en los Estados Unidos de América.

9 La torre Eiffel se puede ver desde cualquier ventana de París.

10 Todos los italianos son de la mafia, todos los negros son raperos, deportistas o narcotraficantes, todos los franceses son seductores e insoportables, todos los árabes son terroristas, todos los alemanes son nazis, todos los rusos son espías y todos los mexicanos son Diego y Gael.

QUINTA PARTE

DE FAMILIAS [DISFUNCIONALES]

75

72

69

66

63

Sherife

Héctor Suárez Gomís

FAMILIAS DISFUNCIONALES

Es increíble lo disfuncionales que son las familias hoy en día.

Encuestas hechas en todo el mundo nos dicen que hoy en día 70% de las familias son disfuncionales. ¡Qué emoción!

Después de años y años de espera, ahora los disfuncionales somos los normales y los que antes eran normales han pasado a ser los anormales.

¿Te das cuenta de lo que significa eso?

La vida nos está regalando una gran oportunidad para vengarnos.

¿Recuerdas cómo se portaron los normales contigo y conmigo cuando eran la mayoría?

Cuando yo iba en la primaria, bastaba que fueras hijo de padres divorciados o sospechosos para quedarte sin amigos.

En 1977 mis papás se separaron por primera vez y no sólo tuve que enfrentarme por primera vez al dolor, sino que además de un día para otro me quedé sin amigos. En el recreo todos me señalaban y me decían la misma frase:

—Mi papá me dijo que ya no podía juntarme contigo porque tus papás están separados.

134

En cuanto llegue mi hija de la escuela voy a hablar con ella.

Tengo perfectamente planeado lo que le voy a decir:

—Ximena, hijita, ven, por favor, que necesito hablar muy seriamente contigo. Siéntate.

"¿Cómo está eso de que los papás de tu amiguita Camila siguen casados?

"¡Tienes terminantemente prohibido juntarte con esa niña!

"¿Cómo que por qué?

"Porque no quiero que te meta ideas raras en la cabeza. Tú no puedes juntarte con una niña que convive con su papá y su mamá todos los días. Lo normal es pasar un fin de semana con tu papá y otro con tu mamá. Una Navidad la pasas conmigo y el año siguiente con ella..."

No entiendo qué es lo que piensan los matrimonios que todavía no se han divorciado. ¡Pobres de sus hijos! Les están haciendo un daño TERRIBLE.

Se supone que una familia es un sistema, un grupo de individuos de la misma clase y de la misma especie, y como tal requiere de una jerarquía que le dé orden para que pueda existir de manera equilibrada y armoniosa.

Hoy, en lugar de estar orgullosos de pertenecer a una familia ejemplar, unida, armoniosa, cariñosa y llena de amor, todos se pelean por demostrar que su familia es la más disfuncional. Y no es por presumir, pero después de los Simpson, de la familia Peluche y de la de Cristian Castro, mi familia es la más disfuncional.

Mi mamá siempre ha sido una obsesionada de la buena educación, las buenas maneras, las buenas costumbres. En la década de los sesenta tuvo el primer programa infantil de la televisión mexicana, se llamaba *Tele Kínder*.

Si tienes más de 45 años seguramente la recuerdas muy bien, y si no, te platico quién era:

Ella era la maestra Pepita Gomís y todos los días le hablaba a los niños que veían la televisión a través de un espejito que, aclaro, no era un espejito. Era una raqueta pero no tenía cuerdas.

En la década de los setenta hacía tours infantiles a Disneylandia con Genaro Moreno que, aclaro, ¡no es mi papá!

Recuerdo que en esa época había tours a Disneylandia con Chabelo, la Chilindrina, Bozo, el Pecas que, aclaro, ¡no es mi papá!

De hecho, la primera vez que fui a Disneylandia fue con Chabelo que, aclaro, éste sí puede ser mi papá... Sí, porque como mi mamá y él trabajaban en Televisa Chapultepec, a lo mejor un día la invitó a pasar a la catafixia... Y como mi mamá era maestra, seguro los palitos le salían parejitos... Y a lo mejor Chabelo le dejó el garabato colorado... Y de haber sido así, no creo que le haya gustado mucho a sus papitos...

No hay que olvidar que somos el resultado de la educación y del ejemplo que nos han dado nuestros papás. Los hijos somos una pequeña extensión de nuestros padres.

Yo, por ejemplo, soy una extensión de mi mamá, que es astróloga, numeróloga, educadora, meditadora y está loca. ¡En serio!

No siempre lo estuvo, pero tuvo la puntería de casarse con mi papá que es actor, alcohólico, neurótico y sufre de trastorno de personalidad múltiple.

¿No me crees?

Tiene personalidad paranoide, esquizoide, esquizotípica, histriónica, narcisista, antisocial, límite, evitadora y dependiente. Es lo que en México se conoce desde hace 30 años como "El Milusos".

En resumen: por parte de mi mamá, yo crecí bajo la influencia de los planetas, de la luna y de las estrellas. En cambio, por parte de mi papá crecí bajo la influencia de los agujeros negros. Una pequeña gran diferencia, ¿no? Ora sí que ¿qué nos pasa?

La primera palabra que recuerdo por parte de mi mamá es: "NO". Y con el tiempo esta palabra se fue multiplicando. Y no, no es que me dijera que no a todo, sino que antes de decir cualquier cosa, mi mamá antepone el no para todo.

ejemplo 1:

—Ay, no, no, no, no, no, no, no, no, no me muero de ganas de darte un abrazo. (Juro que he llegado a contarle 15 nos antes de que empiece una oración.)

Durante años viví confundido porque no sabía si lo que quería era darme un abrazo o no.

ejemplo 2:

—¿No me pasas la ésa que está en el ése?
Aquí mi confusión crecía y se disparaba al infinito...

—A ver, mamá, ¿no te la paso o sí te la paso? ¿Por qué niegas antes de empezar una oración? Con mucho gusto te paso lo que tú quieras pero define qué es la "ésa" que está en el "ése".

—Pues la "ésa" es la cosa que me pongo cuando hace frío... y la dejé colgada en el "ése"...

—¿La gabardina? ¿La cobijita?

—Ay, no, no, no, no, no, no, no, no, no, no... ¡En serio! ¿No puedes hacerle un favor a tu madre? Lárgate de mi vista... Yo no quiero tener frente a mí a un hombre que no le ayuda a su madre...

Tan fácil que habría sido decirme que quería la pashmina que había dejado colgada en la lámpara de pie que está en el estudio, ¿no?

¿Cuántas veces te pidieron la "ésa" que está en el "ése"?

¡Y esto no es nada! Mis regaños de niño eran de verdad completamente diferentes a los tuyos. ¿Recuerdas que te dije que mi mamá es astróloga, numeróloga y meditadora?

Así eran mis regaños cuando yo tenía ocho años:

—A ver, Hectorito: ¿qué te estoy hablando en chino? No, ¿verdad?... ¿Sánscrito?... Contéstame, ¿hablo sánscrito?... Te estoy hablando en español... Es tu lengua madre, por si no lo sabes... Entonces, ¿por qué no me entiendes?... Ay, no, no, no, no, no, no, no, no... Cálmate, Pepita, cálmate... Om Nama Shivaya... Om Nama Shivaya...

"Pues sí, tengo que repetir el mantra para calmarme porque tú no me entiendes... ¡No me entiendes!

"A ver, te lo voy a explicar con planetas:

"Mercurio, que es el planeta de la comunicación, ¡lo tienes retrógrado!... y Plutón... precisamente el día de hoy Plutón no te favorece, y no te favorece porque estamos entrando a la era de Acuario... y eso tampoco lo sabes, ¿verdad?

"Ay, hijito, toda tu astrología está muy mal aspectada.

"No, no, no, no, no, no, no, no, no, no... Yo no soy ninguna profeta, pero no vaya a ser que el karma, los planetas, la vía láctea y el universo completo te castiguen y tu pelito que siempre tienes todo despeinado un día se te caiga... Y acuérdate de que una madre ¡nunca se equivoca!"

Es verdad, una madre nunca se equivoca.

En cambio, la primera palabra que recuerdo por parte de mi papá es completamente la contraria. La palabra: "SÍ".

—Oye, pa, ¿me dejas ir el viernes a una fiesta?

—Sí. Pregúntale a tu mamá.

Seguro conoces el jueguito.

Vas entonces con tu mamá.

—Oye, ma, ¿me dejas ir a una fiesta el viernes?

—Hoy en la noche lo platico con tu papá.

El jueguito lo conocemos todos porque todos lo hemos vivido.

Lo que nunca entendí es cómo funciona.

¿Qué se dicen los papás para ponerse de acuerdo con los permisos?

—Oye, si viene tu hijo a pedirte permiso, te haces pendejo y me lo mandas a mí para hacerme yo también pendeja con el permiso y le digo que lo voy a platicar contigo en la noche...

Y supongo que este sistema lo van rotando...

—Oye, mi amor, ¿esta semana a quién le toca hacerse pendejo primero con los permisos? ¿No te tocó a ti la semana pasada?

Y cuando "supuestamente" tienen que hablar en la noche acerca del permiso, ¿qué se dicen?

—¿Viste la cara del pobrecito? Se ve que tiene muchas ganas de ir a esa fiesta. Seguro hoy no va a poder dormir de la angustia. Mañana, en el desayuno, le dices que lo hablamos con él hasta la hora de la cena. ¡Que se chingue! A ver si así aprende a valorar lo que tiene. Mejor le decimos que no va a ninguna fiesta. Primero quiero ver sus calificaciones.

Eso se llama TORTURA.

Los papás se escudan en el cuarto mandamiento para hacer de nuestras vidas lo que quieren.

Ya lo dice el cuarto mandamiento:

"Honrarás a tu padre y a tu madre..."

Creo que a Dios, a la hora de escribir los mandamientos, se le pasó escribir uno que dijera: "Honrarás a cada uno de tus hijos..."

Según el cuarto mandamiento, los hijos tenemos la obligación de honrar a nuestros padres, pero ellos no tienen obligación alguna de honrar a sus hijos. Con razón existen "niños de la calle" y no "padres de la calle". Por eso miles de padres abandonan a sus hijos (empezando por Dios al suyo: de no haberlo hecho, la manipulación de la Iglesia no habría surtido efecto).

Un mandamiento en el que se honrara a los hijos nos habría dado la oportunidad de responderles a nuestros padres de la misma manera en que lo hacen ellos cuando no encuentran las palabras exactas para educarnos y hacernos entender...

—Ésta es una conversación entre niños y los adultos no pueden opinar. Por eso ustedes tienen "su mesa", para que puedan hablar de sus cosas y no nos vengan a interrumpir a la mesa de los niños.

Un undécimo mandamiento en el que se honrara a los hijos habría hecho una gran diferencia... ¿No?

Desde el momento en que nacimos, nuestros padres comenzaron a conspirar contra nosotros y a todos nos educaron diciéndonos las mismas frases:

- ¿Crees que me regalan el dinero?
- ¡El dinero no se da en macetas!
- ¿No te das cuenta del esfuerzo que estoy haciendo para darte lo que yo nunca tuve? ¿Y el sacrificio que estamos haciendo tu madre y yo para mandarte a una escuela como a la que vas? Mira, hijito, a tu edad, si yo le hubiera pedido dinero a tu abuelo, me hubiera cruzado la cara de una bofetada...

Cuando se trataba de alimentarnos sanamente, nuestros papás caían constantemente en una gran contradicción.

Si se trataba de la hora de la comida, siempre nos obligaban a comer:

—¡Acábate el guisado! Habiendo tantos niños en el mundo que no tienen ni qué comer y tú desperdiciando la comida que con tanto esfuerzo pone tu padre sobre la mesa... ¡Malagradecido! No te levantas hasta que vea que tu plato está vacío. Y cuidadito y vea que se la das al perro, porque lo regalo.

Ah, pero si se trataba de la hora de la cena, a tu mamá no le importaba que formaras parte de los millones de niños que se estaban muriendo de hambre en el mundo.

—Te vas a tu cuarto sin cenar y cuidadito y dejas la luz de tu baño encendida. ¿Me entendiste? ¿Qué crees que somos socios de la compañía de luz? ¡Apaga la luz!

Desafortunadamente para nosotros es en la comida cuando nos dan cosas asquerosas como las endivias, berenjenas, pimientos, vísceras de animales, hígados encebollados, sesos, lengua, etcétera.

Yo esperaba con ansias la hora de la cena porque podía pedir lo que quisiera, pero casi siempre me mandaban a mi cuarto sin poder comérmelo. Digamos que a mí me tenían en una dieta balanceada de leche, carne... y ¡güevos!, te vas a tu cuarto sin cenar.

Fue muy fácil dejarme de hacer pipí
en la cama cuando tenía cinco años...
Mis papás me pusieron una cobija eléctrica.

elpelónensustiemposdecólera

LOS LOCOS SUÁREZ (¿ADAMS?)

Sentarme a comer en la casa de cualquiera de mis amigos siempre me deprimió. Todo era perfecto. ¡Nadie gritaba! A todos les gustaba lo que comían y ninguno se quejaba. El papá siempre le sonreía a la mamá y los hermanos convivían en total armonía. Todo lo pedían por favor y además antes de comer todos se tomaban de las manos (incluyendo al pobre del invitado) y agradecían a un "señor" que nunca estaba ahí. Tanta cursilería me ponía mal.

Al único señor que yo recuerdo haberle agradecido por mis alimentos fue a don Pepe, el dueño de la tienda de la esquina que siempre me fiaba mi Chocotorro y mis Submarinos de fresa.

La primera vez que la familia Corcuera Torreblanca me invitó a pasar el fin de semana a su casa de Cuernavaca fue la última vez que les permití a mis papás que me dieran permiso para irme con ellos.

Recuerdo en la carretera toda la familia cantaba a la perfección las canciones de Cri-Cri y la mamá los dirigía como si se tratara de los Niños Cantores de Viena. Se terminó el repertorio y empezaron las adivinanzas, las preguntas de historia, de geografía... Y por ser yo el "invitado" siempre me tocó contestar la primera pregunta de cada ronda. Qué familia tan educada y tan considerada. ¡Pendejos!

Tuve náuseas y taquicardia todo el fin de semana.

Nos tocaban una campana para desayunar, comer y cenar. Y no lo vas a creer, pero a las 5:30 de la tarde era obligatorio tomar Kool Aid de uva y comer galletitas del "surtido rico" de Gamesa.

—Niños, hace mucho calor y no quiero que nadie se me vaya a desmayar ni se me vaya a debilitar por las calorías que están quemando mientras juegan bajo los rayos del sol, así es que a comer galletas y a tomar mucho Kool Aid. No quiero que se deshidraten. No olviden agradecer al Señor por nuestros alimentos.

Mi amigo y yo estábamos jugando Monopoly. ¿Cuántas calorías se pueden quemar por comprar propiedades en un juego de mesa? ¿Quién se ha deshidratado por lanzar dados en un tablero y mover una figurita? Definitivamente esta familia estaba integrada por puros anormales...

En cambio, salir de fin de semana con mi familia sí era divertido. A mi papá le encantaba que en la carretera mi hermana y yo fuéramos cantando y bailando con él en su coche. Eran los años setenta y lo que escuchábamos era música disco. Los Bee Gees, Abba, Donna Summer, Gloria Gaynor, KC and The Sunshine Band.

Era mucho más divertido cantar "Tragedy", "Bad Girls" o "That's the Way I like It" que cantar "La patita con canasto y con rebozo de bolita"...

Y lo mejor de todo era que en cuanto salíamos de la casa, mi hermana y yo recibíamos nombres nuevos por parte de mi papá. Ella era "chingada madre" y yo era "puta madre".

—Apenas salimos de la casa y ya quieres saber cuánto falta para llegar, Chingada Madre... Pues baja la ventana, ya te dije que cuando te sientas mareada bajes la ventana... ¿Vomitar? ¿Quieres vomitar, Chingada Madre? Pues saca la cabeza por la ventana y vomita... A ver, Puta Madre, ayuda a tu hermana a que saque la cabeza para que no me manche las vestiduras de mi Ford Galaxy... Carajo, chavos, ustedes ponen de malas hasta al más santo, de veras...

"¡Puta Madre! Te dije que mearas antes de que saliéramos de la casa. ¿Te lo dije o no te lo dije? ¿Entonces? Puta Madre, y aquí dónde quieres que me pare, ¿eh? ¿En una curva, para que nos rompa la madre un camión? Puta Madre, la próxima vez que salgamos de viaje me obedeces y meas en la casa... Chingada Madre, tú no llores...

"No, Puta Madre, no se me ocurre hacerte ninguna pregunta ni de geografía ni mucho menos de historia... Mejor que te las haga tu mamá. Ella sí terminó la universidad y tiene un título de maestra en historia... ¡Chingada Madre! No te duermas, ya vamos a llegar..."

A mi mamá no podía pedirle que nos hiciera preguntas de geografía o de historia porque siempre viajaba aparte. Le daba pánico subirse al coche con mi papá.

Finalmente llegábamos a Cuernavaca y siempre al mismo lugar, al Hotel Posada Jacarandas. Mi hermana y yo nos metíamos en la alberca desde que salía el sol y jugábamos con los demás niños hasta que se hacía de noche.

No te imaginas lo bien que la pasábamos en la alberca. Todo era felicidad y paz hasta que escuchábamos a mi papá decirnos:

—¡Puta Madre! No se vayan a mear en la alberca. Acuérdense de que se pone rojo alrededor de ustedes si se mean en la alberca. Y no quiero que la gente sepa que fueron mis hijos los que se mearon en la alberca. ¿Me oíste?, ¡Chingada Madre!

Ésa es una leyenda urbana, ¿no?

¿Nunca te dijeron que si te hacías pipí en la alberca, unos químicos se iban a activar y automáticamente el agua a tu alrededor se iba a pintar de color rojo?

¡Eso es mentira! Se trataba de un truco por parte de nuestros papás para que no nos hiciéramos pipí adentro de la alberca. Además el agua nunca se ponía color rojo. ¡Nunca!

Siempre se ponía amarilla... Todavía se sigue poniendo amarilla.

Es increíble lo que pueden llegar a inventar los papás para controlarnos y para manipularnos.

Los adultos siempre decidían cuál era el mejor momento para que nosotros fuéramos al baño, y ese momento siempre tenía que ser antes de dormir, antes de salir de la casa o a la hora del recreo. Como si la vejiga y el culo tuvieran horario.

—Maestra, ¿puedo ir al baño?

—No, claro que no. Para eso tuviste recreo. ¿Por qué no aprovechaste el recreo para ir al baño?

Ésa es la respuesta que nos daba la persona que era responsable de nuestra formación. Increíble, ¿no?

¿Qué habilidades pedagógicas puede tener una persona que cree firmemente que las vejigas de todos los alumnos están educadas para vaciarse solamente en los 20 minutos que se tienen de recreo? ¿Prohibiéndonos ir al baño durante el horario de clases va a mejorar el sistema educativo de México?

Si los alumnos fuéramos al baño a la hora del recreo ¿crecería el promedio de libros leídos en nuestro país?

¡Qué razón tenía Mark Twain! No debemos permitir que la escuela se interponga en nuestra educación. Por eso yo ni la prepa he terminado.

Y si los viajes de los locos Suárez eran totalmente sui géneris, no te imaginas lo que era la hora de la comida.

La primera en sentarse en el comedor con mi hermana y conmigo era la abuela Ana. Una andaluza adorable. Ya murió, pero todavía la recuerdo con un gran cariño. Era muy divertida y para todo tenía un refrán y le encantaban las pláticas escatológicas.

—Niños, vosotros sabéis que el olor de los pedos proviene de pequeñas cantidades de azufre y de sulfuro de hidrógeno.

"Su madre me ha pedido que mañana vaya por ustedes al colegio, pero si no voy a la huerta por lechugas, mucho menos voy a Cholula por coles. Lo poquito agrada y lo mucho enfada, así es que por qué no me jalan un poquito el dedito y a ver qué pasa."

Mi hermana le jalaba el dedo y la abuela se tiraba un pedo justo cuando aparecía mi papá secándose las manos con la toalla del baño de visitas.

Papá: ¿Qué fue eso?

Abuela: ¿Cómo que qué? Un ratoncito en su motocicleta. Está escondido debajo de mi silla.

La abuela Ana dejaba salir un poco más de azufre y sulfuro de hidrógeno de su cuerpo.

Abuela: ¿Lo habéis visto, niños? Allá va el ratón en su motocicleta.

Mi hermana Julieta era linda y muy ingenua. Buscaba al supuesto ratón por toda la casa.

Hermana: Ratón, ven acá. ¿Por qué nunca me traes nada cuando se me cae un diente?

Papá: ¡Chingada Madre! Deja en paz al ratón. Yo tampoco recibí nunca nada del pinche ratón. A mí los dientes me los tiró mi papá a madrazos. Siéntate y agradece que tu papá es diferente. ¿Qué pasó con la comida?

Entraba mi mamá al comedor.

Mamá (dirigiéndose a mi papá): Chulito, acaban de comprar tortillas, están recién hechas, ¿quieres que te las traigan?

Papá: ¿Para qué, Pepita? Toda la vida es la misma historia. Me traen las pinches tortillas y nunca hay una pinche salsa que pique, y cuando finalmente llega la pinche salsa que pica, las tortillas ya están sobaqueadas. ¡Ya no están calientes! Y cuando por fin llegan las tortillas junto con la salsa que pica, a mí ya se me fue el hambre. Todo tiene su tiempo, Pepita, todo, y tú estás matando el mío.

Mamá: Ay, no, no, no, no, no, no, no, en serio. Francamente yo por eso prefiero que comas en la calle, con tus amigos o con tus viejas. Siempre que vienes a comer a "esta tu casa" es la misma historia de siempre contigo. No sé ni para qué le dije a la muchacha que se fuera a formar desde temprano a la tortillería, en serio. Pero, claro, como tienes a Saturno en tu casa 4, no puedes darte cuenta de lo que los demás hacemos por ti. En este momento Plutón está haciendo una cuadratura con la Luna y con Marte, que es el planeta de la guerra. Por eso estás de malas. Además estás en un año 5, que es de muchos cambios, muchos cambios. En serio que ahora sí me voy a encerrar en un Ashram y me voy a poner en contacto con mi yo interno para encontrarle sentido a esta vida que me tocó vivir. Claro, como soy Acuario con ascendente en Piscis, me estoy ahogando. ¡Tú me ahogas!

Papá: ¿Ves? ¿Ves por qué no me gusta venir a comer a la casa? Si quiero saber de mi horóscopo, mejor compro el *Tele*

Guía, Pepita. ¿Qué tienen que ver unas tortillas y la pinche salsa con el sistema solar? ¿Acaso la luna, los asteroides y los meteoritos le van a dar sabor a la comida?, ¿eh? ¿Quién te crees que eres? ¿Señorita Cometa?

Las discusiones iban a más y más...

Y ya te imaginarás cómo se ponían las Navidades, ¿verdad?

La abuela Ana se quedaba dormida antes de que cenáramos, no sin antes advertir:

—Ya lo saben, niños: cuerpo dormido, culo perdido.

Y ya dormida aprovechaba para llenar la Noche Buena de azufre y de sulfuro de hidrógeno. Era tal el olor que los muñequitos del nacimiento se echaban a correr dejando al niño solo en la cuna.

Una vez más entre mi mamá y mi papá todo era gritos, platos rotos, más gritos, más platos rotos.

Esa noche, en lugar de venir Santa Claus a la casa venía la policía. El turrón nos lo íbamos comiendo en la patrulla y el ponche nos lo tomábamos en el estacionamiento de la delegación con todos los policías.

Ya de regreso a la casa mis papás seguían la discusión en donde la habían dejado antes de que llegara la policía.

Menos mal que a mí era al único que escuchaban. En cuanto yo intervenía finalmente lograba que los dos se pusieran de acuerdo. Al mismo tiempo los dos me decían:

—¡Cállate! Ésta es una conversación para adultos y los niños no pueden opinar.

¡Wow! Qué frase, ¡qué frase! Ésta es una de las muchas frases de antología con las que crecimos. Yo las bauticé como "frases de colección".

Frases como ésa te hacen vivir con sentimiento de culpa toda tu vida y te hacen creer de verdad que no mereces ese pan que con muchísimo esfuerzo pone tu padre sobre la mesa.

No mereces ir a esa escuela bilingüe que con tanto sacrificio pagan mensualmente para que seas una persona de bien en este mundo de mal y que está próximo a vivir un cataclismo.

No mereces la lonchera de metal de *La guerra de las galaxias* que te compraron para sustituir la de *El hombre nuclear* en la que llevas el sándwich de queso de puerco que con tanto cariño, cuidado, ternura y amor le pidió tu mamá a la muchacha que te preparara. (Si no tratas así a las muchachas terminan por irse en el momento menos esperado.)

"Ésta es una conversación para adultos y los niños no pueden opinar..."

Y lo peor es que te lo creías. Creías de verdad que por ser niño, eras un pendejo. Después de la frase, como te sientes realmente ofendido, te dan ganas de llorar. Lloras, y en el momento en que se dan cuenta de que estás llorando te atacan de nuevo con otra gran frase de colección:

—¿Estás llorando? ¿Por qué lloras? ¿Por qué lloras? ¿Quieres que te dé un motivo para llorar? ¿Eh? ¿Quieres un buen motivo? ¡Yo te voy a dar un buen motivo para que llores de verdad!

Esta frase nunca la pueden decir así como así, ¡no!

Mientras te la dicen siempre se van desabrochando el cinturón a la velocidad de la luz.

No te da tiempo de dejar de llorar por una cosa cuando ya estás llorando por otra completamente diferente.

A los niños de mi generación se nos prohibió llorar. Por eso nos cuesta tanto trabajo hacerlo.

—Los niños no lloran, aguántese, ¿qué no es machito? ¡Guárdese esas pinches lágrimas pa' cuando yo me muera!

Relacionamos llorar con ser pendejos y ser pendejos con ser niños.

Ser niño no se trata de vivir con miedo, asustado y amenazado todos los días. ¡No! Y tampoco se trata de vivir callado.

La infancia debería ser como un éxtasis. ¡Un éxtasis! Así como si le hicieras el amor a Angelina Jolie y no como si te la mamara Michael Jackson.

Los niños de mi generación teníamos prohibido entrar a la sala. La sala era única y exclusivamente para las visitas y tus amigos no eran considerados visitas, por lo tanto también tenían prohibido entrar a la sala.

A mi casa jamás fueron visitas, sin embargo "lo mejor" estaba reservado para ellos. Las mejores toallas, la comida más rica, los chocolates más finos... y a mi hermana y a mí nos prohibieron tocar cualquier cosa que le perteneciera a esos desconocidos. ¡Qué poca madre!

Así es que cuando tus papás te mandaban llamar a la sala ya sabías de antemano que no se trataba, para nada, de algo bueno...

Cada vez que mi papá me mandaba llamar a la sala, se hacían presentes en mi mente los mismos pensamientos.

—Uta, ahora sí me van a meter a una escuela de gobierno... Me van a mandar a la militarizada... Ora sí me cumplen lo del internado... Ya me vi, ora sí ya me vi trabajando de cerillito en la Comercial Mexicana.

¿Cuál es la frase que nos decían para intimidarnos?

—Mientras vivas en esta casa, se hace lo que yo diga.

¿Y para hacernos sentir culpables?

—Haz lo que te dé tu regalada gana.

Y si hacías lo que te daba tu regalada gana, te decían la siguiente:

—¿Qué crees que tú te mandas solo y que puedes hacer lo que te dé tu regalada gana?

Y después de los cinturonazos y de dejarte todo madreado, venía la mejor frase de todas:

—Créeme que me dolió mucho más a mí que a ti.

Siempre me quedé con ganas de decirle:

—Me imagino que tu hemorragia es interna, cabrón, porque por fuera te ves a toda madre.

¿Tú recuerdas alguna frase?

La típica frase que te dice tu papá
antes de un largo sermón es:
"¿En qué te he fallado?"
Y la que te dice al terminar el sermón es:
"¿Qué vamos a hacer contigo?"
Contradictorio, ¿no? Primero nos dicen que
los niños no podemos opinar y luego nos piden
que les ayudemos a discernir respecto
de nuestra educación.
¿Cómo vamos a poder ayudarlos con nuestra
educación si nuestra única obligación es ir
a la escuela y sacar buenas calificaciones?

"CADA QUIEN SU ESPACIO"

Sherife
Héctor Suárez Gomís

Mis papás se casaron a los cuatro meses de haberse conocido. ¡A los cuatro meses! ¿Quién en su sano juicio se casa a los cuatro meses de noviazgo? ¿Quién? En serio, ¿quién?

¿Tú pondrías tu vida en manos de alguien que sólo lleva cuatro meses estudiando medicina? No, ¿verdad? Pero mis papás creen que cuatro meses son suficientes para lo que sea. Afortunadamente para lo que sí esperaron nueve meses fue para que yo naciera. Ya sé que tengo jeta de sietemesino, pero es porque me le caí varias veces a mi mamá de la cuna.

Mis papás se casaron a los cuatro meses de haberse conocido, por eso su modo de vivir el matrimonio fue muy original.

Después de años de separaciones y reconciliaciones, separaciones y reconciliaciones, separaciones y reconciliaciones, llegaron a la conclusión de que la felicidad sí existe, de que la felicidad sí es real, tangible y además se puede tener a manos llenas. Eso sí, siempre y cuando cada quien tenga su propio espacio. Siempre y cuando cada quien tenga su propio lugar para dormir.

No, ellos nunca durmieron en camas separadas. ¿Cómo crees?

Mis papás siempre fueron unos padres de familia vanguardistas.

Tampoco dormía cada quien en un cuarto. Eso es muy poco auténtico. Ellos siempre estuvieron adelantados a su época. Siempre...

Cada quien tenía su casa. En serio, cada quien tenía su casa.

Ellos hacían lo que cualquier matrimonio normal hace: iban a reuniones, a eventos sociales, nos llevaban a mi hermana y a mí al cine, al teatro, a comer, a cenar, pero a la hora de irse a dormir, cada quien se iba a su casa. Y aunque no me lo creas, esta forma de vivir el matrimonio les funcionó. Te juro que les funcionó. Les funcionó a ellos, porque a mi hermana y a mí nos rompió la madre.

—No se les vaya a ocurrir decir que su papá y yo no vivimos juntos, ¿eh, niños? Ni una palabra a nadie.

"Mucho cuidadito, Héctor. No me busques porque me encuentras. No me busques porque me encuentras. Una vez más te lo voy a explicar con planetas para que me entiendas:

"Marte, que es el planeta de la guerra, está de mi lado, niño... Mi planeta domina al tuyo y llevas las de perder... ¿Está claro?"

Para no meterme en problemas, siempre viví en un universo paralelo... Y a veces, para sentirme seguro, la neta es que sí necesitaba que mi papá se quedara a dormir en la casa.

—¿Quieres que se quede a dormir tu papá?

"Ay, no, no, no, no, no, no, no, no, no.

"¿Y en qué cuarto se va a dormir? Yo mañana tengo que entregar una carta astral y voy a desvelarme. Por favor, no empieces a romper la armonía de esta casa, Hectorito lindo. Tu papá y yo tomamos una decisión muy madura y desde hace ya varios años cada quien vive en su casa. Pero te prometo que voy a hacer un esfuerzo y voy a poner de mi parte. Mañana me voy a levantar tempranito a la hora del desayuno para decirles a las muchachas que se lo preparen y tú se lo llevas."

Y esto se volvió costumbre...

Los domingos, en lugar de subirle el desayuno a mi papá a su cuarto, yo se lo llevaba a su casa.

Todos los domingos caminaba 14 cuadras por avenida San Jerónimo con una charola...

El desayuno siempre llegaba frío y eso daba pie a que mi papá discutiera absurdamente por teléfono con mi mamá.

—En 20 años que tenemos de casados ¿no te has dado cuenta de que la yema no me gusta? No, no me gusta la pinche yema. Y el pan no está tostado, Pepita, ¡está húmedo!

"Tú sabes que yo puedo hacerme de desayunar perfectamente aquí, pero si me lo preparan allá en tu casa siento que no me he ido y te siento cerca. A mí tampoco me gusta discutir contigo porque te amo. Te amo, te amo, te amo... Me parece perfecto, hoy en la noche me quedo a dormir contigo. Oye, ¿vemos una película en la cama y comemos palomitas? Tú también me complementas a mí..."

¿Cómo ves al par de locos?

¡Cómo no me iba a quedar pelón!

La clave para tener a mi papá en la casa era dejarle las yemas a los huevos y humedecer el pan.

Por eso, a partir de ese día, cada vez que remojo el pan en una yema siento que estoy teniendo una conversación de hombre a hombre con mi papá.

Para seguir con esa tradición familiar tan original, a los 16 años yo también tuve mi propia casa y mi propio espacio.

¡Mi mamá me corrió de la suya!

Y nada más por hacer en mi cuarto lo que ella dejó de hacer en el suyo.

Qué exagerada, ¿no?

Se puso como loca. No te miento, ni siquiera cuando entró a la menopausia volvió a sudar igual:

—Ay, no, no, no, no, no, no. Todo en esta vida tiene un límite y tú ya lo pasaste hace mucho. ¿Qué crees que soy tu burla?

"Mira, Hectorito, le estás faltando al respeto a esta casa. En esta casa hay reglas que tienen que respetarse. ¿Cómo es posible que dos criaturas de 16 años tengan relaciones sexuales? A esa edad yo ni siquiera sabía que los niños y las niñas eran diferentes..."

Y aquí sí es importante hacer una pausa.

¿Quién a los 16 años, por más que haya vivido en un mundo de cristal, de fantasía y de sobreprotección, no se ha dado cuenta de que los niños y las niñas no somos iguales? ¿Quién?

No creo que mi mamá a los 16 años estuviera angustiada porque todavía no le salía el bigote... Y dudo mucho que sus primos varones platicaran con ella lo que sintieron cuando les vino la regla por primera vez...

Pero cuando se es padre de familia hay que decir lo que sea para confundir al enemigo. Y el enemigo, en estos casos, somos los hijos.

—¿Ya lo sabe la mamá de la niña? ¿Ya lo sabe? Ay... No, no, no, no, no, no, no, no. Y si me llama, ¿qué le voy a decir? ¿Eh? ¿Qué voy a decirle a la mamá de esa pobrecita criatura que tú has estado pervirtiendo? ¡Contéstame! Héctor Suárez Gomís, ¡contéstame!

—Sí, mamá, su mamá ya lo sabe. En esa casa sí hay comunicación y su mamá la llevó al ginecólogo. No tienes de qué preocuparte, nos estamos cuidando.

—¡No me contestes! ¿Por qué me contestas? A una madre nunca se le contesta. ¿Quién te crees que eres?

"Ay, no, no, no, no, no, no, no. Nada más eso me faltaba. Soportarte a ti después de soportar a tu padre. A él se lo aguanto porque ya no lo puedo educar, pero tú, tú todavía eres un niño. Ay, no, no, no, no, no, no, no. ¿Qué ejemplo le estás dando a tu hermana? Debería darte vergüenza, Héctor Suárez Gomís, ¡vergüenza!"

¿Por qué cuando las mamás se enojan nos llaman por nuestro nombre completo? Y no sólo las mamás, sino las mujeres en general. Se enojan y nos gritan nuestro nombre completo.

—Ay, no, no, no, no, no, no, no. ¡Eres un desconsiderado! De nada ha servido que vayas en una escuela bilingüe... Gracias a mí vas en una escuela bilingüe. Eso nunca te lo había dicho, ¿verdad? Pues si ya estás en edad de andar jugando con el pito, entonces también ya estás en edad de saber que gracias a mí vas en una escuela bilingüe. Y mira cómo me pagas.

—¿Qué tiene que ver la escuela bilingüe, mamá? Mi novia no habla inglés y de todos modos cogemos todos los días.

—Tienes dos días para encontrar dónde vivir. Yo ya no quiero saber nada de ti. Y en esta casa no vuelves a poner un pie. Pero yo ya lo sabía. Tu astrología lo dice muy claro, muy claro.

Y se iba hablando sola... de hecho tenía una gran conversación con ella misma. ¿Tu mamá no hablaba consigo misma?

No cabe duda de que ser niño en mi época fue muy duro. Tú y yo somos sobrevivientes.

No sólo había que lidiar con los adultos de tu familia y con los maestros, sino que para hacer más inhabitable tu casa, tus papás contrataban a una persona que más empleada doméstica era un celador... Un vigilante... Una cámara escondida que hablaba.

Yo viví amenazado toda mi infancia por una tal Epifania.

Acuérdate de la persona que trabajaba en tu casa. La de "ese" olor tan particular. La que incluso es protagonista de tus primeros encuentros sexuales...

Lo peor que podíamos escuchar decir a la muchacha que trabajaba en nuestra casa era:

—Le voy a decir a tu papá que entraste a la sala.

"Le voy a decir a tu papá que estuviste esculcando en sus cajones.

"Cuando llegue tu papá le voy a decir que desde hace una semana te entregaron la boleta de calificaciones y no se la quieres dar."

De esa manera te hacía su rehén durante todo un mes.

Sí, porque la muchacha que trabajaba en tu casa siempre se vengaba de que la hubieras espiado cuando se estaba bañando. Siempre hacía como que no se daba cuenta y bien que se lucía tallándose con el zacate por sus zonas erógenas.

Desde mi infancia tengo catalogadas a las empleadas domésticas en dos grupos: las que vuelan y las hijas de la chingada.

Y hasta la fecha no he visto volar a ninguna.

SEXTAPARTE

LOS DIEZ
MANDAMIENTOS

Desde hace 33 años tengo un libro de catecismo básico y desde entonces espero que alguien responda con lógica a todas mis preguntas. No busco respuestas que estén basadas en la fe, sino respuestas que estén sustentadas en la lógica.

¿Nunca te has preguntado por qué existen tantos mandamientos?

Los mandamientos se repiten una y otra vez, lo que me lleva a pensar que no fue Dios quien los escribió. (Sí, soy un pecador por pensarlo.)

Si Dios hizo el mundo en seis días y le quedó perfecto, ¿por qué hay tanta imperfección en los 10 mandamientos?

A ver: si Dios pensó en TODO al crear la vida, ¿por qué no hizo lo mismo cuando escribió en esas tablas lo que teníamos que hacer?

¿Le habrán entrado las prisas porque Moisés subió el Monte Sinaí más rápido de lo que pensaba?

Cuando Dios se dio cuenta de que Moisés ya había llegado le entraron las prisas como a nosotros cuando la maestra nos decía:

—Se acabó el tiempo. Pasen sus exámenes de atrás para adelante. Ya nadie puede escribir.

En ese momento escribes lo más rápido posible y generalmente nada de lo que anotas tiene sentido...

¿Será que por eso algunas personas piensan que los 10 mandamientos son de opción múltiple?

—Dame dos minutos, Moisés, pérate, ya voy a terminar, nomás me faltan dos mandamientos...

—No, Señor, dame esas tablas porque el pueblo hebreo se está impacientando allá abajo...

A ver, vamos a ver qué dice aquí:

1 Amarás a Dios sobre todas las cosas.
2 No tomarás el nombre de Dios en vano.
3 Santificarás las fiestas.

Aquí está el primer exceso de mandamientos... Si amas a Dios por sobre todas las cosas y estás consciente de ello, ¿por qué habrías de tomar su nombre en vano y por qué te negarías a santificar las fiestas en su honor? Basta con amar a Dios para amar todo lo que tenga que ver con él, ¿no? Pero seguramente la persona que los escribió dijo:

"Con esta introducción que se me acaba de ocurrir de los primeros tres mandamientos voy a captar la completa atención de los tarjetahabientes, perdón de los creyentes y van a terminar haciendo lo que yo les diga, perdón lo que el Señor les diga... En cuanto lean o escuchen la palabra *Dios* sabrán que tienen que obedecer."

4 Honrarás a tu padre y a tu madre.

Cuando Dios hizo el mundo pensó en la dualidad: el día y la noche, la luz y la oscuridad, la vida y la muerte, el cielo y la tierra, el agua y el fuego... ¿por qué a los padres no se les pidió honrar a sus hijos? Y si vivimos en un mundo dual, entonces es lógico pensar que si existe el bien, debería existir su opuesto, ¿no? Y con esto se derrumba la teoría del Diablo, la desobediencia de Adán y Eva y, por supuesto, el exageradamente ridículo pecado original.

Eso de que existen el mal y la muerte por la envidia del diablo y por el pecado de nuestros primeros padres resulta absurdo. Existen el bien y el mal y la vida y la muerte porque desde el principio Dios creó un mundo dual.

¿Por qué Dios fue tan meticuloso en los detalles como la atmósfera, la estratosfera, la ionosfera, el electromagnetismo, el ADN y no lo fue a la hora de escribir 10 simples mandamientos?... Seguramente la persona que los escribió ya no sabía qué hacer para poner en cintura a sus hijos e inteligentemente inventó este mandamiento que estratégicamente va en cuarto lugar. ¿Te das cuenta? No va en quinto o en séptimo. Va justo después de los mandamientos que te obligan a hacer cosas por Dios...

5 No matarás.
6 No cometerás actos impuros.
7 No robarás.
8 No levantarás falsos testimonios, ni mentirás.
9 No consentirás actos, pensamientos y deseos impuros.

Estos cinco mandamientos son exactamente lo mismo. Todos se resumen en el sexto mandamiento, porque al no cometer actos impuros estás ya incluyendo a todos los de-

166

más. Matar, robar y mentir son un acto impuro, ¿no? Y consentir que alguien más lo haga también lo es. Aquí es donde se delata la persona que los escribió. Caray, iba tan bien con los primeros cuatro que por poco me convence... pero como es de humanos equivocarse, pues se equivocó.

10 No codiciarás los bienes ajenos.

Este mandamiento podría parecerse al número 7, sin embargo habría que entender primero que codicia es el deseo ansioso y excesivo de bienes o riquezas. Mientras que robar es apropiarse de algo ajeno contra la voluntad de su dueño.

Definitivamente no son lo mismo.

George Carlin inteligentemente dijo que si uno no codicia los bienes ajenos, la economía no tendría su función de ser, y yo no podría estar más de acuerdo con él. Apenas apareció el primer iPod en las manos de nuestro vecino y millones y millones de seres humanos codiciamos tener uno. Seguramente las agencias de publicidad fueron inventadas por el Diablo para que ahí se generaran las ideas que nos llevarían a todos los consumidores a violar el décimo mandamiento.

Si Dios creó el movimiento de traslación del planeta y junto con su inclinación de 23 grados creo también las cuatro estaciones del año, ¿cómo se le pudo olvidar un mandamiento que prohibiera a los curas violar a los niños? ¿Y otro mandamiento que nos prohibiera a todos los seres humanos permitir que los de nuestra misma raza mueran de hambre?

¿Acaso todo su ingenio sólo lo utilizó en la creación de algo tan grande e infinito como el universo?

¿Se le agotó la imaginación después de crear al hombre?

¿Sólo pone real atención cuando se trata de cosas grandes?

No lo creo, porque el universo cuántico es increíblemente pequeño y es asombrosamente perfecto... Por eso dudo mucho que haya sido Dios el autor de los mandamientos... ¿Tú no?

Bastaría con ver a Dios en los ojos de los demás para no matar, no robar y no desearle el mal a nadie.

Por eso yo vivo mi vida recordando día con día una sola frase.

Una sola frase ha iluminado mi vida... Una sola frase se ha encargado de guiarme en mi camino. No sé quién la dijo, pero vaya que tenía toda la razón.

Apréndetela, porque funciona, de verdad funciona:

Si la vida te da la espalda... ¡agárrale las nalgas!

LA COLOMBIANIZACIÓN MEXICANA

Dicen que México desde hace ya varios años se está "colombianizando", ¿no? Yo no estoy de acuerdo.

¿Quieres saber cómo es Colombia?

Trae a tu mente todas las imágenes que el pacífico y noble pueblo norteamericano ha plasmado en el cine sobre este país. Recuerda cómo nos han hablado en los noticieros de Bogotá, Medellín, Barranquilla y Cali.

¿Ya?

Muy bien, ahora bórralo de tu mente.

Yo viví más de un año en Colombia y jamás me imaginé encontrarme con un país tan hermoso.

¿Puedes creer que el país cafetero no le llama café al café?

Es como si México no le llamara tequila al tequila, Alemania salchicha a la salchicha o Estados Unidos pendejo a Bush...

En Colombia no se pide café, se pide un "tinto".

Un tinto es un café cargado, y un café es un café con leche, aunque también se le conoce como perico. Y el perico también es cocaína... y un ave color verde que a veces habla.

170

Cuando te ofrecen un tinto, no te dicen:

—Señor, ¿quiere un tinto? ¿Le traigo un tinto? ¿Se le antoja un tinto?

¡No! En Colombia no se le antoja a uno nada. En Colombia a uno le provocan las cosas.

—Señor, ¿le provoca un tinto? ¿No quiere un tintico?

¿Tintico?

Como buen país latinoamericano se habla mucho en diminutivo. La diferencia está en que no se hace con "ito" o "ita" sino con "ico" o "ica". El pan está calentico, regreso al ratico, esa mujer está muy bonitica, etc. A mí me decían de cariño Hectícor.

¿Lo puedes creer?

¡Hectícor! ¿No te parece una pendejadica?

La gente es entrañable y muy cariñosa. A donde llegues te hablan con mucha dulzura, con educación y con un acento que realmente hipnotiza. Se dice que el mejor castellano se habla en Bogotá, y para muestra un botón:

No hay estacionamientos, hay parqueaderos. No hay popotes, hay pitillos. No hay gasolineras, hay bombas. No hay banquetas, hay andenes. No se come, se almuerza. Y no se cena, se come.

Uno no se baña, se ducha. No te lavas los dientes, te cepillas la boca. No pones atención, pones cuidado. No se dice "elote", se dice "mazorca". No pides "palomitas", pides "crispetas", y no se dice "refresco", se dice "gaseosa".

No se paga, se cancela.

Mi primer día en Bogotá, al querer pagar una camisa, me preguntaron que si quería cancelar y respondí:

¿Cómo voy a cancelar algo que todavía no he pagado?

Se burlaron de mí, mientras yo muy indignado cancelaba mi compra.

A los niños les dicen sardinos, pelados o chinos. No se echa la güeva, se hace locha. No tienes cuates, tienes parceros o parces.

No estás retrasado, estás demorado. Estar mamado no es estar fuerte sino estar cansado. No se dice florería, se dice floristería. No hay cacahuates, hay maní.

No hay sirvientas, hay empleadas domésticas y no hacen el "quehacer", hacen "oficio".

No eres disciplinado, eres juicioso.

Entre los amigos no se dicen "güey", se dicen "marica".

Si te enojas, no te lleva la chingada, ni estás encabronado. En Colombia, cuando te enojas, te da piedra.

"Marica, tengo una piedra"...

El salpicón no es carne deshebrada sino un coctel de frutas que además lleva algunas frutas que no existen en México, como lulo, feijoa y uchuva.

El frijol no es frijol, es fríjol y lo escriben con tilde en la *i*...

¡Qué mámones!

A los estados de la República se les dice "departamentos" y a los departamentos se les dice "apartamentos", y no se rentan, se arriendan. Hay un departamento que se llama Huila, y nunca me creyeron que eso en México es puta.

Afortunadamente el gentilicio es huilense. Y sí, también hay una que otra huila.

Pon mucha atención a la siguiente palabra:

"IMPAJARITABLE."

Sí, existe y significa "inevitable", "plazo que no tiene extensión", "algo altamente posible".

También se aplica como adverbio de modo: "impajaritablemente".

Es "impajaritable" si has llegado hasta aquí, "impajaritablemente" seguirás leyendo.

el pelón en sus tiempos de cólera

Quién se iba a imaginar que en Colombia el término *calentura* significa otra cosa. Y un día yo tuve 39.

Calentura en Colombia es estar muy caliente sexualmente hablando. Así es que ya te imaginarás el numerazo que hice en la farmacia. Perdón, en la droguería. A las cosas por su nombre, ¿no? Y en Colombia no hay farmacias, hay droguerías.

Entré sudando y pregunté:

—Señorita, buenas noches, ¿tiene algo para la calentura?

La señorita de la droguería me dijo:

—Mire ahí...

Traté de seguir la línea que su dedo había apuntado y me encontré con un pequeño estante de condones. A la izquierda varios lubricantes, y arriba se anunciaba con bombo y platillo un condón que al parecer hará historia: anillo y vibrador incluido.

Vuelvo a dibujar en mi mente la línea recta que la señorita había trazado con su dedo y no, no hay nada para la calentura.

Vuelvo a preguntar:

—Señorita. No encontré nada para la calentura, y de verdad ya no aguanto, no me la puedo bajar con nada. Antes de venir traté con paños húmedos muy fríos y sólo me dio dolor de cabeza.

¡La señorita estalló! Le dio un ataque de risa de tres minutos, y una vez que pudo recuperar el habla me dijo muy seria:

—Qué pena, señor, pero no puedo hacer nada. Debe esperar a que se pase el efecto... El Viagra dura varias horas...

—¿El Viagra? ¿De qué me está hablando?

"Tengo c-a-l-e-n-t-u-r-a. Me duele el cuerpo, la garganta, la piel, los huesos..."

La señorita volvió a estallar:

—Ay, qué pena me da con usted, de verdad, señor... Ya le entendí. Lo que su merced tiene es fiebre.

—¿Pues qué eso no fue lo que dije desde que llegué? Calentura, fiebre, temperatura, destemplanza. Da lo mismo.

—Qué pena, señor (y dale con la pena). Aquí en Colombia tener calentura es estar excitado... entusiasmado... con ganas... arrecho... ¿Usted me entiende? Su merced, ¿de dónde es?

—Mexicano.

Menos mal que fuimos conquistados por los españoles y nos heredaron el mismo idioma.

Finalmente, y después de darme a entender "en el mismo idioma", pude conseguir lo que buscaba. Permanecí varios días en cama y a pesar de todo lo que me tomé nunca se me pudo quitar la calentura. La señorita de la farmacia (droguería) ¡estaba re buena!

¿Qué le dijo una rana lesbiana a otra?
Caray, sí es verdad, ¡sabemos a pollo!

VIVA MÉXICO, CABRONES

¿Por qué tanto asombro y tanto alboroto por la conducta de Britney Spears y de Paris Hilton?

Britney Spears y Paris Hilton representan 90% de las gringas. Basta ver cómo se divierten (según ellas) durante los *spring breaks* en las playas mexicanas. Y ya ni qué decir cuando abren la boca, ¿verdad? Porque las hay quienes afirman que Europa es un país y que el nombre de su país no empieza con la letra *U* de United States sino con la letra *A* de América.

¿Sabrán que América es TODO el continente y no un solo país?

Por eso no entiendo por qué tanto asombro y alboroto de la sociedad de los Estados Unidos ante la conducta de dos güeras pendejas.

Menos mal que la mayoría pertenece a la clase media y no sufrirán la tragedia de ser desheredadas como la pobrecita de Paris Hilton. Y pensar que ese país se preocupa por los mexicanos indocumentados de piel morena que cruzan todos los días su frontera.

¿No sería mejor crear un muro alrededor de sus adolescentes y educarlos en lugar de construir uno en la frontera con México?

¿No sería más importante que el gobierno de los Estados Unidos se preocupara por la cantidad de drogadictos que hay en su país en lugar de dictaminar quién sí está llevando de manera correcta la guerra contra el narcotráfico en América Latina?

¿Qué se puede pensar de un país que tuvo como presidente durante ocho años a un muy mal actor de películas de vaqueros (Reagan)? Es como si aquí nosotros votáramos un día por uno de los hermanos Almada. ¿Te imaginas a Mario Almada dirigiéndose a la Cámara de Diputados? Si con trabajo hablaba frente a la cámara de cine.

¿Y lo de Arnold como gobernador de California?

Es genial.

Y todavía es más genial que haya lanzado una campaña con el lema de "English Only" para que ése fuera el único idioma que se hablara en el estado de California. Para empezar, *English* no lo habla ni él. Estoy a punto de creer el rumor que dice que Arnold se casó con una Kennedy para procrear finalmente un Kennedy a prueba de balas...

¿Y lo de George W. Bush?

Un pueblo que vota dos veces por el mismo cretino no tiene derecho a criticar el sistema político de ningún otro país.

Las armas de destrucción masiva en Irak son tan reales como el amor que todavía se profesan Bill y Hillary Clinton.

Hey, no soy antiyanqui, ¿eh? En lo más mínimo.

Allá como los hay cretinos (la mayoría), también los hay muy brillantes (la minoría). Ningún país ha ganado más premios Nobel que Estados Unidos. Su música, sus autores, pintores, dramaturgos, cinematógrafos, museos, tecnología, etc., son de admirarse. Su gobierno, no. Su manera de ver a los demás, tampoco. Y mucho menos su patriotismo mal entendido combinado con esos aires de superioridad por ser de ojos azules, cabello rubio y piel blanca.

¿Sabes quiénes están reconstruyendo Nueva Orleans? Sí, exactamente: los seres de piel morena que cruzan la frontera para buscar una mejor forma de vida: ¡los mexicanos!

Mientras los gringos están ocupados inventando todo tipo de impedimentos para que los de piel morena dejen de cruzar la frontera ilegalmente, sus adolescentes de piel blanca, ojos azules y cabello rubio se perfilan como los seguros candidatos para llevar al imperio a la destrucción.

Estoy consciente de que en mi México las cosas parecen no tener para cuándo cambiar y que por lo mismo nuestros políticos se la pasan apaciguando a la gente con playas artificiales en Semana Santa y con la pista de hielo más grande del mundo en el Zócalo cuando llega la temporada navideña para poder crear lo que se conoce como "el circo".

Los gringos, a diferencia de los mexicanos, para crear "el circo" se inventan guerras televisadas. Y cuando no han empezado los *playoffs* del beisbol, del basquetbol o del futbol tienen que chutarse la vagina de Britney, la rapada de Britney, la peda que se puso Britney, el ataque de nervios de Britney, la impuntualidad de Britney para ver a sus hijos, las carnes de Britney, los granos en la cara de Britney, las pendejadas de Paris, el arresto de Paris, la nueva conquista de Paris, el nuevo video sexual de Paris...

No, pos yo por eso prefiero que Fabiruchis se amarre a una cama para no llamar la atención cada vez que lo inviten a salir con chicas buena onda y espero impaciente y desesperadamente los cambios de elenco que tendrá *Aventurera* cada tres meses y no duermo nomás de saber si será verdad que finalmente se separa RBD. Eso sí es cultura y no chingaderas.

Por eso, y a mucha honra, me gusta gritar:

¡VIVA MÉXICO, CABRONES!

UNA ÚLTIMA COSA QUE ESTOY SEGURO VA A PASAR A FORMAR PARTE DE LA LISTA DE LAS 100 COSAS QUE NO ME GUSTAN

101 La cantidad de personas que me va a decir: "Ya tienes una hija, ahora ya escribiste un libro, ¿ya plantaste un árbol?"

EPÍLOGO

¿Por qué voy a ser políticamente correcto si mi esencia es políticamente incorrecta?

Quedar bien es algo que se me da muy mal porque nunca aprendí a decir lo que la otra persona está esperando escuchar. Quedar bien es otra forma de mentir. Decir lo que los demás quieren escuchar y no lo que tú quieres decir es dejar de tener integridad, y eso no va conmigo.

Ser políticamente correcto es como decir verdades a medias. Ser políticamente correcto es irse por el camino seguro; en cambio, ser políticamente incorrecto es vivir la vida de manera arriesgada, peligrosa y más consciente.

Andar el camino seguro es monótono, aburrido y muy predecible; pero si eliges andar por el camino inseguro estarás más alerta y más atento ante lo impredecible y lo desconocido. Vivir la vida sin saber qué va a pasar te da la oportunidad de caerte, de equivocarte, de experimentar, de aprender, de sorprenderte y de observar.

Lo políticamente correcto ha venido a quitarle el sabor y la diversión a lo políticamente incorrecto. Y no hay nada más aburrido que ver juntos a la solemnidad y al querer quedar bien.

¿Por qué es políticamente incorrecto decirle "cojo" a una persona que perdió una pierna? Cojear es políticamente correcto, pero estar cojo no lo es. Hoy a las personas que han perdido una pierna hay que decirles discapacitadas, porque si les dices cojas, se ofenden.

Los ciegos ya no son ciegos, son invidentes o personas con una discapacidad visual.

¿De verdad son ofensivas las palabras *ciego* y *cojo*?

Y si lo son, ¿por qué entonces siguen existiendo en el diccionario? Y no sólo eso, sino que además sus significados describen a una persona que está privada de la vista y a una persona a la que le falta un pie o una pierna.

Es políticamente correcto que los gordos se burlen de los flacos y políticamente incorrecto que los flacos se burlen de los gordos.

Es políticamente correcto que los pobres se burlen de los ricos y políticamente incorrecto que los ricos se burlen de los pobres. Y para ser políticamente correcto a los gordos hay que llamarlos "personas con sobrepeso" y a los pobres "personas de bajos recursos".

¿En qué momento la humanidad se volvió tan pusilánime y tan melodramática? ¿Por qué nos tomamos tan en serio a nosotros mismos?

Todas las palabras tienen un significado, pero el verdadero valor se lo damos nosotros.

Escribir este libro ha sido para mí una aventura políticamente incorrecta. No he querido quedar bien con nadie y tampoco he escrito lo que la mayoría está acostumbrada a leer. (Y con esto no quiero decir de ninguna manera que soy un innovador, simplemente que escribí con libertad.)

Alguna vez leí una frase que se me quedó muy grabada:

"Aquel que no ha fracasado, es porque nunca ha intentado algo nuevo."

¿Será entonces que debemos ser diferentes y originales para alcanzar el éxito?

Hacer las cosas bien y arriba del promedio te traerá tarde o temprano el éxito en tu vida laboral. Mientras que caer y saberte levantar te lo traerá en tu vida espiritual.

Desde hace algunos años he tratado no sólo de amar lo que hago, sino de encontrar el amor en lo que hago, y sin duda alguna *El pelón en sus tiempos de cólera* ha sido uno de los romances más enriquecedores de mi vida.

Empezó siendo un blog, después se transformó en monólogo, luego se convirtió en una columna semanal del periódico *Excélsior* y finalmente en mi primer libro.

He vivido más de 14 600 días, más de 350 400 horas y apenas estoy a la mitad del camino. Lo políticamente correcto habría sido decir que tengo 40 años, pero como mi esencia es políticamente incorrecta, sólo sé que me queda un chingo por aprender, por comer, por descomer, por dormir, por viajar y, si tú me lo permites, también un chingo por escribir.

Gracias.

ÍNDICE

El pelón en sus tiempos de cólera, de Héctor Suárez Gomís
se terminó de imprimir en septiembre de 2009 en
Litográfica Ingramex, S.A. de C.V.
Centeno 162-1, Col. Granjas Esmeralda,
México, D.F.